DOSSIER

Univers social

(Géographie, histoire
et éducation à la citoyenneté)

2e cycle

**Sous la direction de
Ginette Létourneau**

GRAFICOR

MEMBRE DU GROUPE MORIN

171, boul. de Mortagne, Boucherville (Québec) J4B 6G4
Tél. : (450) 449-2369 • Téléc. : (450) 449-1096

Mes chantiers DOSSIER **UNIVERS SOCIAL** **(Géographie, histoire et éducation à la citoyenneté)**

Supervision du projet et révision linguistique
Solange Tétreault

Correction d'épreuves
Sylvie Lucas

Conception graphique, réalisation et direction artistique
diabolo-menthe

Illustrations
Francis Back, p. 42-43, 59, 62, 64-65, 106-107
Maxime Bigras, p. 118-121, 124 (cartes), 125 (sauf rose des vents)
Maxime Bigras et diabolo-menthe, p. 104, 116-117, 122-123, 128, 130, 132, 136-138, 140-143
Jocelyne Bouchard, couverture (Algonquiens), p. 5 (carriole et Champlain), 6, 38-39, 57, 68 (Algonquin), 69, 78-82, 84, 87 (maison), 88, 110-114, 141 (Algonquiens), 146 (Algonquiens et caravelle), 147 (maison)
diabolo-menthe, couverture (bateau), p. 10 (carte), 24, 32-33, 34 (carte), 36, 41, 45, 87 (carte), 124-125 (rose des vents), 126-127, 146 (statuette), 147 (carte)
Arto DoKouzian, p. 48
Robert Dolbec, p. 134-135 (silhouettes)
Leanne Franson, p. 66-67
Frefon, p. 16-17, 21-23, 52-53
Claudine Gévry, p. 28-30, 56
François Girard/ © Videanthrop, p. 35, 37, 40, 141 (Inuits et Iroquoiens)
Jacques Goldstyn, p. 60, 61 (Champlain), 73-75, 89, 99, 100-103, 146 (Champlain), 147 (filles du roi, Jeanne Mance, Laviolette et Maisonneuve)
Michel Grant (coloration: Raymond Lafontaine), p. 18-20, 43, 49, 51, 55, 61-63 (encrier et plumes), 68 (chapeau), 73-75 (ligne du temps), 76-77, 87 (moulin), 90, 97, 98, 100-103 (ligne du temps), 105, 108-109, 145, 146 (fourrure), 146-147 (ligne du temps)

Photos
Archives de la Commission des champs de bataille nationaux, p. 14 (11)
Archives de la ville de Trois-Rivières, p. 70 (monument)
Archives MRC de l'île d'Orléans, p. 13 (7)
Archives nationales du Canada, p. 85 (maison, C-073437, Charles William Jefferys), 85 (agriculteur, C-073593, Thomas Wesley McLean), 86 (C-114428, Émile de Girardin)
Archives nationales du Québec à Québec, p. 63
Auberge de la photo, p. 134 (plateau)
Bibliothèque nationale de Québec, p. 58-60, 83, 96 (cartes en arrière-plan)
Hélène Bourduas, p. 10 (fille), 11 (rizière)
Collection école Jimmy Sandy Memorial, p. 49 (collation)
Collection Village historique de Val-Jalbert, p. 13 (4)
Comstock Images, p. 40-41 (bande)
Corbis / Magma, © Steve Raymer, p. 10 (sampan); © Tibor Bogmar, p. 94
Corel, p. 8 (village), 25 (fruits), 131 (arctique)
Jean-Marie Cossette, p. 15 (14)
diabolo-menthe, p. 8 (panneau de circulation), 9, 11 (haï dong), 19, 26 (appareil photo), 76-77 (rondelles de bois), 110-114, 119
Direction régionale de la Chaudière-Appalaches, MCC, p. 14 (8)
Claudette Fontaine, collection MEQ, p. 49 (magasin et village), 54
Claude Huot, p. 71 (marché et Vieux-Québec)
Hydro-Québec, p. 131 (continental humide), 133 (rivière)
ITHQ, p. 7 (habitations)
Yves Laframboise, p. 12 (1), 15 (12)
Ginette Lambert, p. 13 (5), 133 (étang), 137 (basses-terres)
Martin Lapointe, p. 133 (fleuve)
Stéphane Larivière, p. 13 (6)
La Terre de chez nous, p. 129 (forêt mixte), 137 (Appalaches)
Roger Lemoyne, p. 25 (filles)
Le Québec en images, CCDMD, © Guy Gauthier, p. 12 (3); © Denis Chabot, p. 72 (parc); © Paul Grant, p. 135 (vallée)
Ginette Létourneau, p. 8 (habitations)
MAPAQ, p. 25 (maisons)
Ministère du Tourisme, p. 133 (ruisseau)
MRN, p. 129 (taïga et forêt boréale), 131 (subarctique), 134 (colline), 137 (Bouclier canadien)
Musée de la civilisation, bibliothèque du Séminaire de Québec, fonds ancien. *Abitation de Quebecq* dans Champlain, Samuel de, *Les voyages du Sieur de Champlain Xaintongeois, capitaine ordinaire pour le roy, en la marine...* Paris: Chez Jean Berjon, 1613, p. 187. Jacques Lessard, photographe, p. 61
Musée de la civilisation, Musée de l'Amérique française. Pavillon d'accueil. Pierre Soulard, photographe, p. 71 (musée)
Musée de la mer de Pointe-au-Père, Peabody Essex Museum, p. 15 (13)
Musée des Ursulines de Trois-Rivières, p. 70 (monastère)
Musée royal de l'Ontario © ROM, p. 90
Office du tourisme et des congrès de Trois-Rivières, p. 70 (pont)
PhotoDisc, p. 5 (maison et wigwam), 6, 16-17 (bande), 18 (dés), 21-23, 26 (calepin et stylo), 27 (micro), 31, 50 (citrouille, maïs et tarte), 87 (bande)
Publications du Québec, p. 91
RubberBall Productions, p. 25 (gars)
Marc Saint-Louis, couverture (Montréal), p. 7 (Montréal)
Search4Stock / Roderick Chen, couverture (globe), p. 14 (10), 27 (caméra vidéo), 72 (musée)
Solange Tétreault, p. 45, 133 (lac et océan), 135 (montagne)
SuperStock, p. 34-37 (bande); Newberry Library, p. 50
Denis Tremblay, p. 12 (2), 72
Richard Truchon, p. 14 (9)
Denis Trudel, p. 129 (toundra)

Données de catalogage avant publication (Canada)

Vedette principale au titre:
Mes chantiers. Dossier Univers social, 2e cycle

Pour les élèves du niveau primaire.

ISBN 2-89242-880-7

1. Québec (Province) – Histoire – Ouvrages pour la jeunesse.
2. Québec (Province) – Géographie – Ouvrages pour la jeunesse.
3. Éducation civique. 4. Indiens d'Amérique – Québec (Province) – Ouvrages pour la jeunesse. I. Létourneau, Ginette.

FC2911.2.M47 2003 971.4 C2003-940397-1
F1052.4.M47 2003

Nous reconnaissons l'aide financière du gouvernement du Canada par l'entremise du Programme d'aide au développement de l'industrie de l'édition pour nos activités d'édition.

Gouvernement du Québec – Programme de crédit d'impôt pour l'édition de livres – Gestion SODEC

Dépôt légal 3e trimestre 2003
Bibliothèque nationale du Québec

ISBN 2-89242-880-7
Imprimé au Canada 1 2 3 4 5 6 – 7 6 5 4 3

Table des matières

PARTIE 1

Les textes

Mon milieu de vie

Premiers habitants

En Nouvelle-France vers 1645

En Nouvelle-France vers 1745

Mon milieu de vie

Où habites-tu ?
Près de quelle grande ville
ou de quel cours d'eau ?
Comment décrirais-tu ton milieu ?
Selon toi, qu'est-ce qui le distingue ?
Son passé ? ses paysages ?
sa population ?
À toi de découvrir des éléments
des différents milieux de vie !
Tu pourras ainsi
mieux connaître le tien.

Où vis-tu ?

LES VILLES

Les grandes villes sont divisées en plusieurs quartiers ou arrondissements et ont un centre-ville très animé. Le centre-ville est généralement la plus vieille partie d'une ville. On y trouve beaucoup de commerces, des hôtels, des édifices à bureaux, etc.

En général, plus on s'éloigne du centre-ville, plus les quartiers sont récents. Chaque quartier a sa personnalité. De plus, les gens qui habitent un même quartier vivent de façon semblable.

Dans les grandes villes, les habitations multifamiliales sont nombreuses et serrées les unes contre les autres. Il y a aussi de grandes tours à logements et des maisons unifamiliales.

Centre-ville de Montréal.

Plus la ville est grande, plus les commerces sont fréquents, variés et spécialisés. Souvent dans les grandes villes, chaque quartier a des rues commerciales. On trouve aussi de multiples services spécialisés. Des journaux y sont produits et des émissions de radio et de télévision y sont diffusées. Des personnes habitant loin d'une grande ville y viennent pour travailler, étudier, faire des achats, se faire soigner, se divertir, etc.

Dans les grandes villes, la circulation est dense. Les véhicules et les piétons sont nombreux. Le transport en commun est habituellement bien organisé. Des installations (gares, aéroports, ports, etc.) servent à relier les grandes villes du monde entre elles.

Les villes de petite et de moyenne taille présentent les mêmes caractéristiques que les grandes villes. Cependant, tout y est en moins grande quantité et de moindre importance.

Les mots en gris sont définis dans le glossaire (des pages 148 à 152).

Habitations multifamiliales d'une grande ville.

LES VILLES DE BANLIEUE

Les villes de banlieue sont comparables à un gros beignet autour d'une grande ville. Dans les villes de banlieue, il y a de l'espace et beaucoup de parcs. Les habitations unifamiliales sont nombreuses et semblables. Chacune possède souvent une petite cour. Les habitations à logements sont habituellement concentrées sur certaines rues.

Dans ces villes, les commerces, peu abondants, sont groupés sur certaines rues ou dans de grands centres commerciaux.

Pour satisfaire certains de leurs besoins, les banlieusards sont souvent obligés d'aller dans la grande ville la plus proche. Ainsi, beaucoup d'entre eux s'y rendent tous les jours pour travailler. Ils y vont également pour se faire soigner, poursuivre leurs études, se divertir, etc.

Les rues sont calmes, et leur tracé est irrégulier. Les piétons sont plutôt rares, sauf dans quelques rues plus passantes et commerciales. Le transport en commun facilite les déplacements vers la grande ville aux heures de pointe.

Habitations unifamiliales d'une ville de banlieue.

LES VILLAGES

Dans les villages, on trouve surtout des habitations unifamiliales espacées les unes des autres et construites le long d'une route. Elles sont plus rapprochées près de l'église.

Village du Québec.

Consulte les cartes des pages 138 et 140 pour situer quelques grandes villes du Québec.

Comment appelle-t-on les habitants de certains lieux ?

Banlieue	→	**banlieusard/banlieusarde**
Cité (ville)	→	**citadin/citadine**
Île	→	**insulaire**
Paroisse	→	**paroissien/paroissienne**
Village	→	**villageois/villageoise**
Rive d'un cours d'eau	→	**riverain/riveraine**

La route principale d'un village est souvent traversée par quelques rues. Au centre, près de l'église, on a groupé des commerces (station-service, épicerie, etc.) et certains services (école primaire, bureau de poste, banque, etc.).

Dans les villages et les campagnes, il y a de l'espace. On voit des boisés, des champs cultivés, des fermes et des maisons dispersées le long des rangs. Une partie des gens qui habitent ces endroits vivent d'agriculture, d'élevage, de pêche, etc.

EN CONCLUSION

De plus en plus de gens habitent en milieu urbain (dans une ville) plutôt qu'en milieu rural (à la campagne). Les villes s'agrandissent toujours davantage. Lorsqu'elles deviennent vraiment très grandes, on parle d'agglomérations urbaines. Lorsqu'elles sont gigantesques, on les appelle des mégalopoles.

TEST

Connais-tu des gentilés ?

Savais-tu qu'il existe des façons de nommer les gens selon le pays, la région, la ville, le village ou le quartier qu'ils habitent ? Il s'agit de gentilés. Associe les endroits présentés ci-dessous (colonne de gauche) à un gentilé (colonne de droite). L'association n'est pas toujours facile, n'est-ce pas ?

a) Beauce	**1.** Lasarrois/Lasarroise
b) Blanc-Sablon	**2.** Maskoutain/Maskoutaine
c) Cap-de-la-Madeleine	**3.** Québécois/Québécoise
d) Îles-de-la-Madeleine	**4.** Beauceron/Beauceronne
e) Kamouraska	**5.** Pointepicois/Pointepicoise
f) La Sarre	**6.** Trifluvien/Trifluvienne
g) Longue-Pointe	**7.** Fidéen/Fidéenne
h) Notre-Dame-de-la-Merci	**8.** Blanc-Sablonnais/Blanc-Sablonnaise
i) Pointe-au-Pic	**9.** Campivallensien/Campivallensienne
j) Québec	**10.** Kamouraskien/Kamouraskienne
k) Sainte-Foy	**11.** Madelinois/Madelinoise
l) Saint-Hyacinthe	**12.** Mercien/Mercienne
m) Salaberry-de-Valleyfield	**13.** Longue-Pointais/Longue-Pointaise
n) Trois-Rivières	**14.** Madelinot/Madelinienne

Et toi, quels sont tes gentilés ?
Cherche un peu, tu en trouveras sûrement quelques-uns !

Réponses à la page 152.

J'HABITE AU VIETNAM

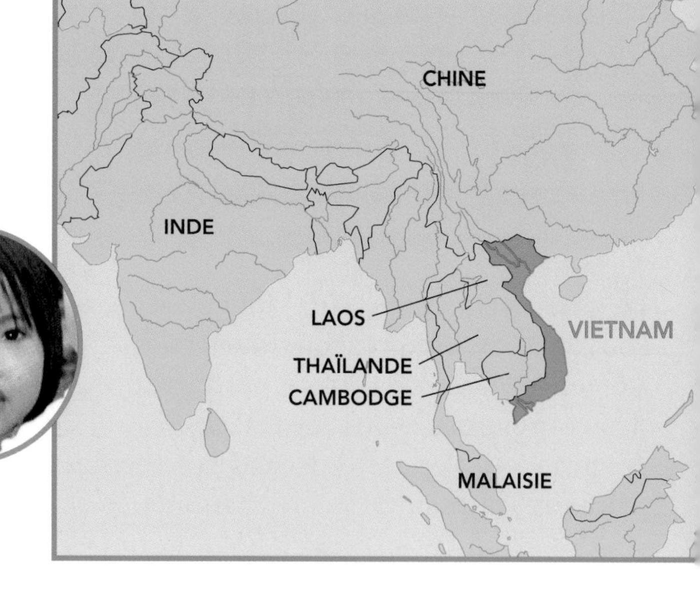

Je me présente: mon nom est Sen, et j'ai 8 ans.

Le Vietnam

J'habite le Vietnam, un pays de l'Asie. Certains disent que c'est au bout de la Terre. Mon pays est l'un des plus pauvres du monde. Nous avons vécu des guerres durant plusieurs années.

Un bateau du Vietnam: le sampan

Comme beaucoup de familles d'ici, ma famille et moi, nous vivons au bord d'une rivière sur un *sampan*. C'est un type de bateau fréquent en Asie. Nous dormons sur de petits tapis tressés, qu'on appelle des *nattes*. Seul mon petit frère dort dans un hamac. Ma grand-mère habite avec nous.

Il fait toujours chaud ici. Je porte régulièrement un chapeau traditionnel en forme de cône. Il me protège du soleil et de la pluie.

Très tôt le matin, mon père et mon grand frère pêchent. Je débarque avec eux les poissons qu'ils ont capturés. Ma mère ira les vendre au marché durant la journée. Ensuite, je l'aide à faire le déjeuner. Nous mangeons souvent de la soupe aux légumes, du riz et du poisson bien frais.

Sampan.

Femme travaillant dans une rizière.

Les rizières

Le riz est l'aliment de base au Vietnam et le produit le plus cultivé. Mon cousin Minh et ma cousine Lê vivent près des rizières. Il s'agit des terrains où on cultive le riz. Quand je vais les visiter, tous ensemble, nous allons chercher de l'eau au puits du village avec ma tante Maï. Toute la famille boit cette eau et l'utilise pour cuisiner, se laver et faire la lessive. Leur maison est construite en bois, et le toit en paille de riz. C'est très différent de notre sampan.

Il y a peu de voitures au Vietnam, car les gens ne sont pas assez riches. Pour nous déplacer, nous allons surtout à pied, à vélo ou en mobylette.

L'école et les jeux

J'aime beaucoup aller à l'école. Ici, ce ne sont pas tous les enfants qui y vont. Certains doivent aider leurs parents à travailler. Dans ma classe, nous sommes 50 élèves et nous portons tous un costume.

Avec mes amis, je joue à l'élastique, et nous nous faisons des passes avec le *haï dong*. Ces jeux sont très amusants !

Solange Tétreault

Le *haï dong* est un objet fait d'une plume plantée dans un morceau de plastique.

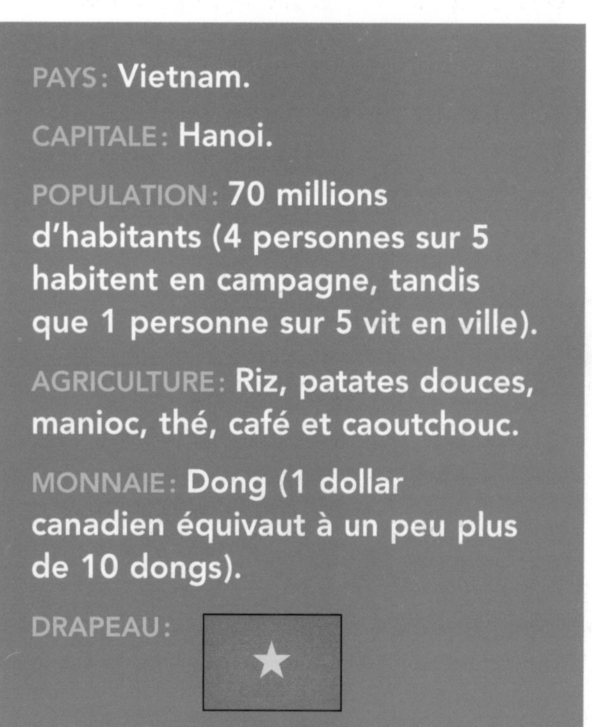

PAYS : **Vietnam.**

CAPITALE : **Hanoi.**

POPULATION : **70 millions d'habitants (4 personnes sur 5 habitent en campagne, tandis que 1 personne sur 5 vit en ville).**

AGRICULTURE : **Riz, patates douces, manioc, thé, café et caoutchouc.**

MONNAIE : **Dong (1 dollar canadien équivaut à un peu plus de 10 dongs).**

DRAPEAU :

Les traces du passé

Dans chaque région, des choses révèlent le passé. Il s'agit, entre autres, des bâtiments et d'autres constructions comme les routes et les ponts.

Sers-toi de la carte de la page 138 pour situer les régions administratives du Québec.

1 Une ancienne gare témoigne de l'importance qu'avait autrefois le chemin de fer. À une certaine époque, les trains représentaient le moyen de transport le plus rapide. Beaucoup de trains servaient à transporter des marchandises. D'autres servaient à déplacer les gens.

2 En ville, certains édifices ou lieux abritaient un marché. Les personnes de la campagne venaient y vendre leurs produits. Les marchés ont disparu peu à peu avec l'apparition des épiceries et des supermarchés.

3 Les industries laissent parfois des traces dans le paysage. Par exemple, quand des carrières ou des mines cessent leur activité, ces lieux deviennent de grands trous vides. En se remplissant d'eau, ils ressemblent à des lacs.

(1) Gare de Témiscaming, Abitibi-Témiscamingue.

(2) Ancien marché, place Jacques-Cartier, Montréal.

(3) Lac formé par une ancienne carrière, Notre-Dame-du-Bon-Conseil, Centre-du-Québec.

4 Les compagnies de bois représentaient une industrie très importante au début du 20e siècle. Plusieurs ont fermé après quelques dizaines d'années d'exploitation. Les maisons construites par une de ces compagnies forment le village historique de Val-Jalbert, situé au pied de l'impressionnante chute de la rivière Ouiatchouan.

5 Autrefois, on construisait des moulins. La force de l'eau servait à moudre le grain, à produire les tissus et à scier le bois. Plusieurs vieux moulins en pierre se trouvent encore sur les rives des cours d'eau. Parfois, on peut voir une ancienne centrale hydroélectrique. Certaines avaient même des airs de châteaux.

6 Le vent pouvait aussi servir à faire fonctionner des moulins à farine. Quelques moulins à vent ont réussi à traverser le temps.

7 Dans les villages, l'église est le monument le plus remarquable du passé. Elle est souvent surmontée d'un ou de deux clochers visibles de loin. Elle date généralement de plus d'une centaine d'années.

Moulin à vent de l'île Perrot, Montérégie.

Village historique de Val-Jalbert, Saguenay–Lac-Saint-Jean.

Moulin de Frelighsburg, Montérégie.

Église de Sainte-Famille, île d'Orléans, Capitale-Nationale.

8 Dans les villes et les villages, le couvent est souvent un bâtiment imposant situé près de l'église. Des religieuses y enseignaient autrefois aux jeunes filles. En campagne, les élèves étaient instruits dans les écoles de rang.

9 On observe encore aujourd'hui quelques croix de chemin, le long des routes de campagne. Souvent, les habitants décidaient d'en construire une près de leur demeure. Ils manifestaient leur foi de cette façon.

10 Les maisons datent de plusieurs époques. Autrefois, de belles maisons de ferme étaient construites en pierre. Depuis longtemps, on n'utilise plus ce matériau. Dans les quartiers de certaines villes, il y a encore des maisons de pierre à plusieurs étages.

11 Pour défendre un territoire, on a construit des forts. Il en reste encore quelques traces. À Québec, par exemple, on trouve les tours Martello. Ces tours se dressent au beau milieu d'un quartier résidentiel de la ville.

▲ **École du Bras-d'Apic, Saint-Cyrille-de-Lessard, Chaudière-Appalaches.**

Croix de chemin à Boucherville, Montérégie. ▶

◀ **Tour Martello 1 à Québec, Capitale-Nationale.**

Maison de pierre dans le Vieux-Montréal, Montréal. ▼

Chemin du roy à Deschambault, Capitale-Nationale.

L'*Empress of Ireland*, Sainte-Luce, Bas-Saint-Laurent.

Ponts couverts de Ferme-Rouge, Saint-Aimé-du-Lac-des-Îles, Laurentides.

12 Les routes existent depuis très longtemps. Au Québec, la plus ancienne route longe la rive nord du Saint-Laurent. On l'appelait le *chemin du roi*. Des parties de cette route sont encore peu changées aujourd'hui.

13 Des traces du passé, il y en a même au fond de l'eau. Par exemple, l'épave de l'*Empress of Ireland*, au large de Sainte-Luce. Ce paquebot a fait naufrage en 1914 après être entré en collision avec un autre navire. Plus de 1000 personnes sont alors décédées. Voilà une trace du temps où la navigation était plus importante sur le Saint-Laurent.

14 La traversée des rivières posait toujours un problème. Un pont couvert représentait une bonne solution. Son toit protégeait sa structure en bois contre le mauvais temps. Une centaine de ces ponts ornent encore le fond des vallées.

N'oublie pas d'inscrire tes réponses sur une feuille !

Œuvre les yeux

Le questionnaire suivant t'aidera à te faire une opinion sur la qualité de vie dans ton milieu. Avant de choisir les réponses qui conviennent, sors de chez toi, ouvre grands les yeux et les oreilles... Jette un regard nouveau sur ce qui t'entoure.

1. Dans mon milieu, il y a des arbres et des espaces verts...
   a) en abondance.
   b) à quelques endroits seulement.
   c) à très peu d'endroits.

2. De façon générale, les maisons et les immeubles...
   a) sont bien entretenus.
   b) sont négligés.
   c) auraient besoin d'être rafraîchis.

3. Les trottoirs et l'éclairage des rues...
   a) permettent des déplacements faciles et sécuritaires.
   b) manquent à certains endroits.
   c) sont généralement en mauvais état.

4. Les transports en commun de mon milieu...
   a) sont fréquents et desservent tous les secteurs.
   b) ne sont en service qu'à certaines heures ou que dans certains secteurs.
   c) sont pratiquement absents.

sur ton milieu

5. Les odeurs ou les bruits de mon milieu…

   a) sont généralement discrets et ne gênent pas les gens.

   b) sont parfois dérangeants.

   c) suscitent plusieurs plaintes de la population.

6. Été comme hiver, les sports et les activités de loisir qui peuvent être pratiqués dans mon milieu…

   a) sont nombreux et diversifiés.

   b) sont plutôt limités.

   c) sont pratiquement absents.

7. Dans mon milieu, on organise des événements (fête, festival, exposition, etc.)…

   a) fréquemment.

   b) occasionnellement.

   c) rarement.

INTERPRÉTATION DES RÉSULTATS

- Attribue 2 points pour chaque a, 1 point pour chaque b et aucun point pour chaque c.
- Compte les points que tu as obtenus. Le nombre maximum de points possible est 14.

À toi de tirer des conclusions sur la qualité de vie dans ton milieu et de dire ce que tu en penses. Pour t'aider à le faire, n'hésite pas à utiliser ce questionnaire auprès d'autres personnes de ton milieu.

Une journée à la carte

Que dirais-tu de créer une journée à ta mesure à l'aide du jeu **Une journée à la carte** ? Tu pourras ainsi utiliser une échelle pour calculer les distances. Qu'est-ce qui te plairait ? Le cinéma, le centre vidéo, la librairie, le musée, le zoo... **À toi de jouer !**

MATÉRIEL

La planche de jeu (p. 20) et un dé

Neuf cartes de jeu à fabriquer (note sur chacune un des neuf endroits illustrés sur la planche de jeu)

Deux feuilles et deux crayons pour noter les distances

Un pion et trois jetons d'une même couleur par personne

But du jeu

- Le jeu consiste à se rendre à trois endroits sur la planche de jeu en faisant le plus court trajet possible.

Déroulement

- Joins-toi à un ou à une camarade. À tour de rôle, tirez au hasard trois cartes et lancez le dé une fois. La personne qui obtient le chiffre le plus élevé joue en premier. Elle avance son pion selon le nombre indiqué par le dé.
- Chaque fois que tu bouges ton pion, calcule le trajet parcouru en centimètres et note-le.
- Quand tu atteins un des endroits indiqués sur les cartes tirées, place un jeton dessus.

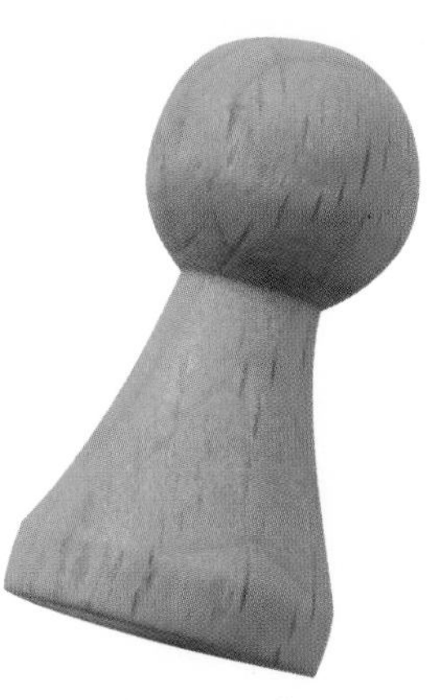

- Quand tu as atteint les trois endroits, calcule le trajet total selon l'échelle suggérée sous la planche de jeu.
- Quand les deux joueurs ont terminé, comparez les distances parcourues. La personne gagnante est celle qui a fait le plus court trajet.

Règles

- Tu dois avoir le nombre exact pour te rendre à l'endroit visé.
- Si tu arrives sur le symbole ⓧ, tu dois reculer de 2 cm. (N'oublie pas de calculer ce trajet même si tu recules.)
- Si tu obtiens un 6, tu peux jouer de nouveau. Cependant, tu dois avancer du nombre total de points obtenus dans ces deux lancers.

  Si tu obtiens deux fois le 6, tu restes sur la case où tu étais.

IL SUFFIT D'Y PENSER...

- Quand on te dit que tu dois reculer de 2 cm, combien de cases cela représente-t-il ?
- Si tu obtiens un 4, tu avanceras de 4 cases. De combien de centimètres avanceras-tu sur le jeu ?
- Dans la réalité, à quelle distance cela correspond-il selon l'échelle suggérée ? Et si l'échelle était : 1 cm = 10 m ?

Linda Tremblay

MUSÉE

Planche de jeu

DÉBUT

CENTRE VIDÉO

CENTRE SPORTIF

LIBRAIRIE

MUSÉE

PARC

MARCHÉ

ZOO

RESTAURANT

CINÉMA

Échelle : [ ] = 5 m
(1 cm)

Un jeu de repères

Observe bien une carte géographique. Tu remarqueras un quadrillage à l'arrière-plan. Tu verras aussi des lettres et des chiffres autour de la carte. Il s'agit de *coordonnées*. Voici un jeu qui t'aidera à te familiariser avec leur utilisation.

NOMBRE DE JOUEURS : Deux

MATÉRIEL PAR ÉQUIPE

- Une planche de jeu (p. 22-23)
- Deux feuilles et deux crayons
- Un chronomètre ou une montre ayant une trotteuse
- Deux tableaux comme celui ci-dessous

Élément choisi (objet, personne, etc.)	Emplacement (coordonnées)	Temps pris pour repérer l'élément et en donner les coordonnées
Un chien avec une fleur	C-2	2 minutes 30 secondes
Temps pris au total :	▇ minutes ▇ secondes	

Déroulement

- Chaque personne prépare un tableau semblable à celui proposé ci-dessus.
- Chacune choisit trois éléments sur la planche de jeu. Elle les note ensuite dans le tableau en précisant l'emplacement de chacun. (Attention, tu ne dois pas faire voir tes choix !)
- Demande à ton ou à ta partenaire de trouver les coordonnées du premier élément sur la planche de jeu. Chronomètre le temps écoulé et écris-le dans le tableau. Procède ainsi pour les deux autres éléments.
- Inversez les rôles.
- Quand les deux joueurs ont trouvé les coordonnées des trois éléments, calculez le temps pris au total par chacun pour y arriver. La personne gagnante est celle qui a pris le moins de temps.

Linda Tremblay

1
2
3
4
A
B
C
D
E
F
E
ESE
SE
SES
S
ENE
NE

5
6
7
8
S
SES
SE
ESE
E
ENE
NE
NNE

Explore ton milieu

Ton milieu, c'est le territoire sur lequel tu te déplaces, tu joues, tu fais des courses, tu connais des gens, etc. Que dirais-tu de l'explorer ? Tu crois bien le connaître, n'est-ce pas ? Pourtant, tu découvriras plein de choses ! Examine d'abord un plan. Procure-toi ensuite un carnet de notes et, si possible, un magnétophone et un appareil photo.

EN ROUTE !

→ ExaMiNE le plan

Couvre un plan de ta localité d'un papier-calque. Sur ce papier-calque, fais un X aux endroits où tu vas souvent:

- ta maison;
- des commerces;
- les maisons de tes amis;
- les parcs ou les terrains de jeux.

À l'aide d'un crayon de couleur, trace les trajets que tu fais tous les jours. Utilise une autre couleur pour les trajets que tu effectues de temps en temps ou une fois par semaine. Finalement, trace d'une autre couleur les chemins que tu parcours rarement. Observe le résultat que tu obtiens. Qu'est-ce que cette exploration sur le plan te fait découvrir sur ton milieu ? Quels secteurs de ton milieu connais-tu le mieux ?

→ ExPLORE une rue

Choisis une rue que tu aimes dans ton milieu. Reproduis-la sur une feuille de papier. Dessine ou photographie certains éléments des maisons qui te plaisent. Informe-toi de l'origine du nom de cette rue. Questionne les gens qui l'habitent pour savoir l'âge des maisons. Compte le nombre de maisons et d'immeubles qu'il y a dans cette rue. Évalue le nombre de personnes qui l'habitent. Compte quatre personnes par appartement lorsqu'il s'agit d'immeubles. Qu'as-tu découvert à propos de cette rue ? Explore d'autres rues si le cœur t'en dit !

→ DÉCOUVRE les gens

De quelle origine ethnique sont les personnes qui habitent ton milieu ? Pour le découvrir, observe les façades des commerces. Tu trouveras peut-être des éléments qui t'indiqueront l'origine des propriétaires. Regarde les produits qu'on vend dans les magasins d'alimentation. Ils te donneront des renseignements sur ce qu'achètent les habitants de ton milieu. Le cimetière, les personnes qui marchent sur les trottoirs, les langues que les gens parlent dans les commerces, tout cela te donne des indices…

Alors, que penses-tu de la diversité de ton milieu ?

Caroline McClish

DEVIENS JOURNALISTE !

Autour de toi, il y a plusieurs personnes qui ont des choses à te raconter. Certaines ont un métier spécial, d'autres ont vécu un événement particulier. Tu as de la curiosité, de la débrouillardise, un bon sens de l'observation et tu n'as pas froid aux yeux ? Tu aimerais également poser des questions pour connaître l'histoire de ton milieu ou celle d'une certaine personne ? Alors, deviens journaliste ! **Voici comment tu peux y arriver.**

AVANT

1. Choisis un type de reportage : reportage photographique, article de journal, dossier d'information, reportage audiovisuel (court film).
2. Prépare des questions pour connaître…

un **événement**

Exemples

- Que s'est-il passé ? **(Quoi ?)**
- À quel endroit cela s'est-il produit ? **(Où ?)**
- À quel moment ? **(Quand ?)**
- Pour quelles raisons cela s'est-il passé ? **(Pourquoi ?)**
- Quelles sont les personnes concernées ? **(Qui ?)**

une **personne**

Exemples

- Quelles sont les étapes importantes de la vie de la personne ?
- Comment se déroule une de ses journées de travail ?
- Y a-t-il des tâches à faire selon les saisons ?

3. Prends un rendez-vous.
4. Choisis le matériel que tu vas utiliser : feuilles de papier, crayons, magnétophone, appareil photo, ciné-caméra.

PENDANT

5. Pose tes questions. Entre chacune, écoute bien la réponse donnée. Certaines pourraient répondre à tes autres questions ! Prends des notes en écrivant des mots clés.
6. Observe l'endroit où tu te trouves. Note ce que tu vois. (C'est le moment de prendre des photos !)

APRÈS

7. Trie les renseignements recueillis en gardant ceux que tu veux présenter.

   Exemples
   - Suis un ordre dans le temps : avant, pendant et après.
   - Présente tes réponses sous la forme « questions-réponses ».
8. Pour accompagner ton reportage, choisis quelques photos, ou encore trouve ou dessine quelques illustrations.
9. Présente ton reportage.

EXEMPLES DE QUESTIONS À POSER AU COMMERÇANT OU À LA COMMERÇANTE DU COIN

- Comment vous êtes-vous procuré tout ce qu'il y a dans le magasin ?
- De quel matériel avez-vous besoin pour faire votre travail ?
- Depuis combien de temps avez-vous ouvert votre commerce ?
- Pourquoi avez-vous choisi cet endroit ?
- Combien avez-vous d'employés ?
- Qui sont vos principaux clients ?
- Quel type de publicité devez-vous faire ?
- Comment fixez-vous le prix des produits à vendre ?
- Que faites-vous des produits qui ne se vendent pas ?
- Comment se déroule une de vos journées de travail ?

Caroline McClish

Le caillou bleu

Zora voudrait bien aller se promener
à l'extérieur du village
mais sa maman lui explique :
« Tu sais, ici, dans le désert,
il n'y a pas de chemin.
Si tu étais toute seule, tu te perdrais. »
Mais Zora ne veut rien entendre.
Et quand sa maman s'en va,
elle décide de s'échapper.
Elle traverse le village
sur la pointe des pieds
et elle s'enfuit dans le désert.
Elle saute dans les dunes.
Zora se roule dans le sable.
Elle court plus loin
et plus loin encore.
Si bien qu'elle ne voit pas
le temps qui passe.
Soudain, le soleil tout rouge
disparaît derrière les dunes.
Il fait presque nuit et il fait très froid.
Zora voudrait bien rentrer chez elle.
Elle se dit : « Je vais retrouver
le chemin du village
en suivant mes pas dans le sable. »
Mais les traces de pas de Zora
tournent en rond.
Zora est perdue, elle se met à pleurer.
Alors elle crie fort, très fort :
« Maman, papa, au secours ! »

Soudain, une voix lui répond.
C'est son papa
qui était parti à sa recherche.
Il la gronde fort : « Que serait-il arrivé
si je ne t'avais pas trouvée ?
Une tempête de sable
t'aurait recouverte ?
Un chacal t'aurait dévorée ? »
Zora écoute en silence.
Elle n'avait pas pensé à tout ça.
Le soir, son papa lui explique :
« Si tu veux aller seule dans le désert,
tu dois apprendre à te diriger.
Prends cette carte.
Elle indique les chemins importants :
celui qui traverse le village,
celui qui va au puits
et celui qui va en haut
de la montagne. »
Zora apprend à se servir de cette carte.
Un jour, elle découvre
un petit chemin de rien du tout
qui n'est pas tracé sur la carte.
Zora a très envie de le prendre
mais elle hésite.
Alors elle se dit :
« J'ai la carte pour m'aider à rentrer. »
Les pierres du sentier lui piquent les pieds
mais Zora continue.
Tout à coup, derrière un rocher,
Zora aperçoit un caillou bleu.
Elle n'en a jamais vu de pareil.
Zora le ramasse, puis elle se dit :
« Vite, il faut rentrer ! »
Elle lève la tête, elle regarde le soleil.
Et avec sa carte, elle retrouve facilement
le chemin du village.

Quand Zora arrive au village
avec son caillou bleu,
tous les villageois s'étonnent.
Ils lui demandent:
«Où as-tu trouvé un aussi joli caillou?»
Zora leur raconte le petit chemin
et comment elle s'est servie de la carte
pour retrouver le village.
Son papa lui demande:
«As-tu toujours ta carte avec toi?»
Zora sort la carte.
Alors son papa lui tend un crayon
et il lui dit:
«Tu peux tracer sur la carte
le chemin du caillou bleu.
Car à partir d'aujourd'hui,
ce chemin, c'est le tien.»

Béatrice Wettstein, extrait de «Le caillou bleu»,
Pomme d'Api, Paris, Bayard Jeunesse,
n° 410, avril 2000, p. 28-32.

Premiers habitants

Il y a plus de 500 ans,
quelques sociétés habitaient
l'Amérique du Nord et l'Amérique
du Sud depuis longtemps déjà.
Sais-tu comment ces sociétés vivaient ?
comment elles tiraient parti
des atouts de leur territoire ?
Certaines d'entre elles
nous ont laissé un grand héritage.
La vie des premiers habitants
te surprendra peut-être…

D'où viennent les Amérindiens ?

De nos jours, des gens de différentes origines peuplent le Canada. Il y a, entre autres, des Amérindiens, des Italiens, des Irlandais, des Chinois, etc. Mais d'où viennent les Amérindiens, les premiers habitants du pays ? Voici ce qui s'est passé il y a plus de 35 000 ans…

Suivons la piste

Le territoire qu'occupe actuellement le Canada est, à l'époque, presque totalement recouvert de glace. Une bande de terre relie cependant la Sibérie à l'Alaska. On nomme cette bande de terre la Béringie.

Les hommes chassent le gibier pour nourrir leur famille. Et du gibier, il y en a en abondance : mammouths, bisons, caribous, bœufs musqués. Lorsque des chasseurs poursuivent une proie, ils se déplacent sur de très grandes distances. C'est ainsi que certains chasseurs traversent de l'Asie à l'Amérique. Ils découvrent un nouveau continent. Les ancêtres des Amérindiens sont donc des Asiatiques !

Il y a environ 35 000 ans.

Direction sud

Puis la température augmente, faisant fondre peu à peu la glace. Le pont de terre qui relie l'Asie à l'Amérique est recouvert d'eau. Ce qu'on appelle la Béringie devient le détroit de Béring.

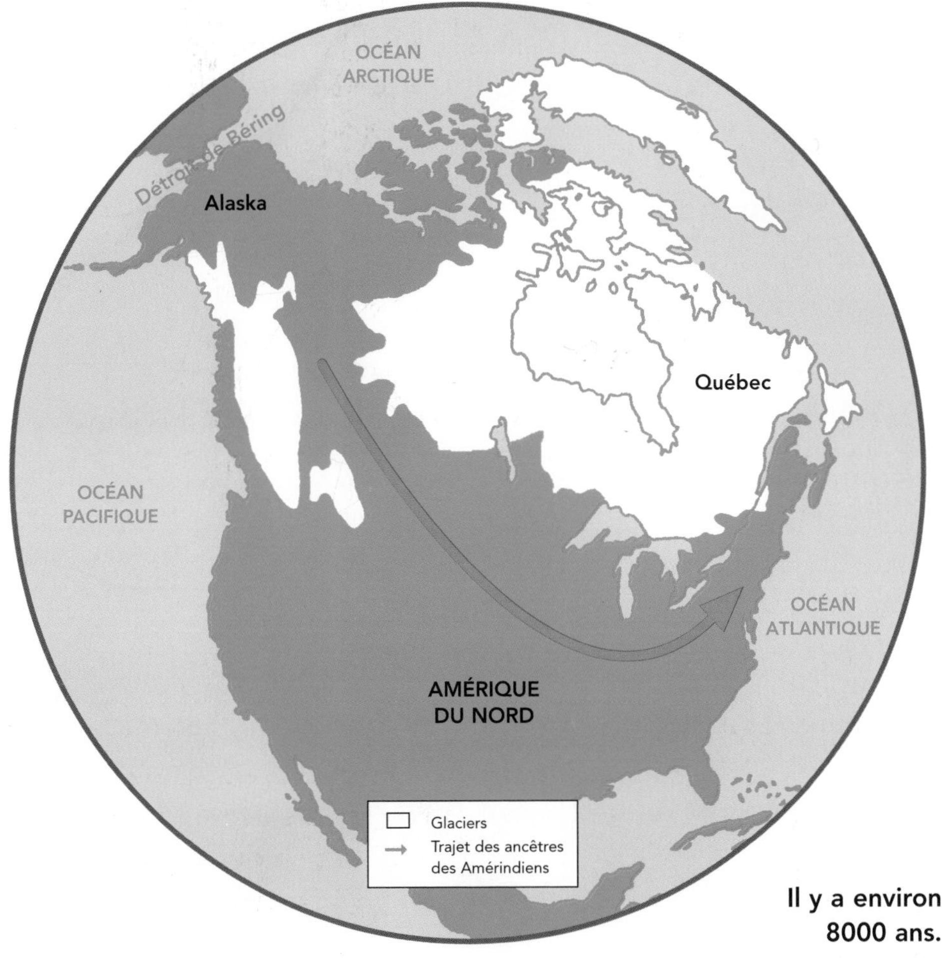

Il y a environ 8000 ans.

Plus la température se réchauffe, plus les glaces fondent. Un corridor se forme alors entre le côté ouest et les glaciers. Les chasseurs suivent ce long corridor. Ils s'enfoncent dans le continent jusqu'à ce qu'ils atteignent le territoire actuel du sud du Québec. Ils y sont arrivés il y a 8000 ans.

Des preuves

Les archéologues ont fait de belles trouvailles au Québec, tout près de Rimouski. Ils ont découvert de très vieux objets. Selon eux, ces objets datent d'environ 8000 ans. C'est pourquoi ils pensent que les ancêtres des Amérindiens sont sur le territoire du Québec depuis cette époque.

Sylvie Lucas

Les Algonquiens vers 1500

La société algonquienne regroupe des nations amérindiennes nomades qui parlent une langue semblable.

Quels sont les atouts et les contraintes du territoire ?

Vers les années 1500, les Algonquiens occupent un territoire très étendu couvrant une grande partie du Québec d'aujourd'hui. Les forêts sont denses et remplies d'animaux. Le relief est généralement montagneux et les sols, très peu fertiles. Les nombreux lacs et rivières leur procurent du poisson et leur servent de voies navigables.

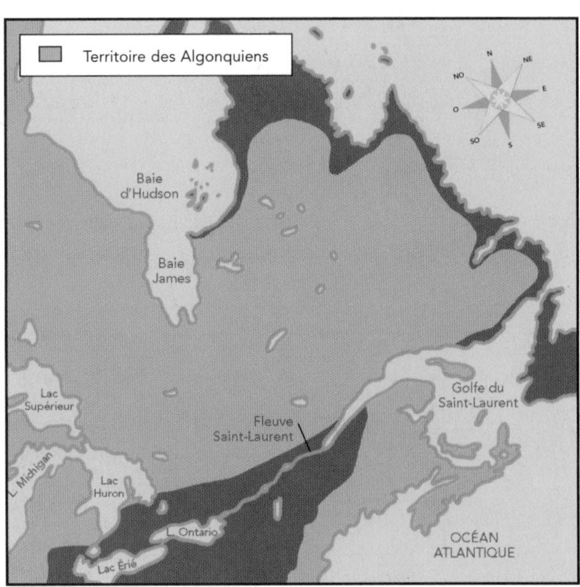

Le territoire des Algonquiens au 16e siècle.

Consulte la carte de la page 141 pour connaître le territoire des sociétés autochtones (amérindiennes et inuites) au 16e siècle.

De quoi les Algonquiens vivent-ils ?

Les Algonquiens pratiquent différentes activités selon les saisons. Du printemps à l'automne, ils pêchent ou chassent les oiseaux aquatiques. En été, ils cueillent des fruits sauvages. En automne et en hiver, ils s'adonnent à la chasse. Avec les sociétés voisines, ils échangent des fourrures, de la viande et du poisson séché contre du cuivre, des coquillages, du maïs, du tabac, etc.

Comment les Algonquiens satisfont-ils leurs besoins ?

Les produits de la chasse permettent aux Algonquiens de combler plusieurs besoins essentiels.

SE LOGER ET SE VÊTIR

Les familles algonquiennes vivent dans des tentes, appelées *wigwams*, fabriquées avec du bois et couvertes d'écorce ou de peaux d'animaux. Leurs vêtements et leurs mocassins sont faits de peaux et de fourrures.

SE NOURRIR

Les Algonquiens se nourrissent de gibier (caribou, orignal, castor, ours, sauvagine, etc.), de poisson, de fruits sauvages. L'été est la saison de l'abondance. Cependant, ils manquent parfois de nourriture en hiver, quand les provisions sont épuisées et que la chasse n'est pas bonne.

SE DÉPLACER

Les Algonquiens disposent de moyens de transport ingénieux. En hiver, ils emploient les raquettes pour marcher dans la neige sans s'enfoncer. Les toboggans leur permettent de transporter ce dont ils ont besoin. En été, ils se servent surtout du canot, fait d'écorce de bouleaux cousue sur une armature en bois. Légère, cette embarcation est facile à porter sur la terre ferme quand on doit contourner des rapides ou des chutes.

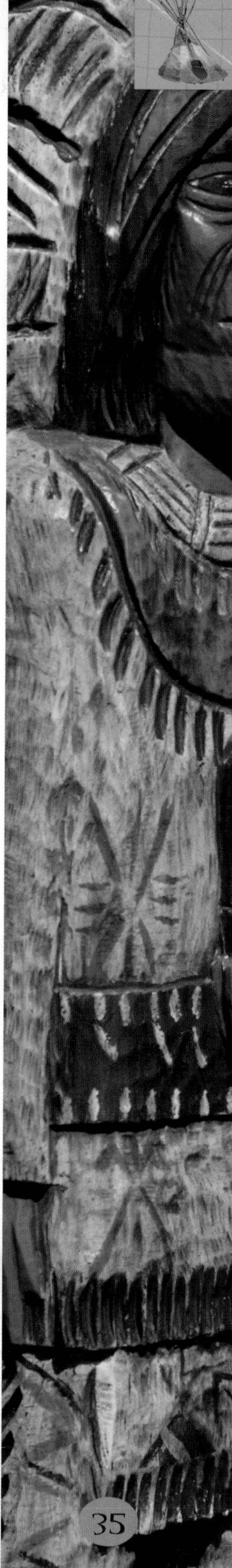

Qui gouverne chez les Algonquiens ?

En hiver, les Algonquiens se dispersent pour mieux trouver leur nourriture. En été, ils forment des bandes organisées. Le chef de bande est choisi pour ses qualités de chasseur, son courage et sa facilité à s'exprimer. Il fait aussi partie d'un conseil qui prend les décisions pour la bande. Seuls les hommes peuvent devenir chef.

Les bandes qui parlent une même langue et qui fréquentent le même territoire de chasse se regroupent en tribus. La tribu n'a pas de chef. Elle s'occupe particulièrement de l'organisation des échanges commerciaux, de la recherche d'alliés et de la guerre.

Quels sont leurs dieux ?

Les Algonquiens pensent que tous les éléments de la nature (animaux, rochers, vent, etc.) possèdent un esprit. Ils croient aussi aux forces surnaturelles. Pour eux, il y a un grand esprit (le *Manitou*) qui règne sur tout. Il existe aussi d'autres esprits qui ont des pouvoirs extraordinaires, comme l'*Oiseau-tonnerre*, une sorte de rapace ayant des cornes.

Dans les tribus, les *chamans* jouent un rôle important. Ils guérissent les malades et chassent les mauvais esprits.

Qu'est-ce qu'un *wampum* ?

D'origine algonquienne, le mot *wampum* signifie «perles blanches». Fabriqués par les Amérindiens, les wampums sont de grandes bandes de perles et de coquillages. Ils sont employés au cours de certains rites religieux et lors de certaines ententes. Ces objets servent aussi comme monnaie d'échange et pour communiquer des messages. Les couleurs et les motifs choisis ont des significations variées. Ainsi, le blanc est associé à des messages de vie et de paix; le pourpre, à la mort et à la guerre. Les lignes et les formes géométriques ont leur sens propre.

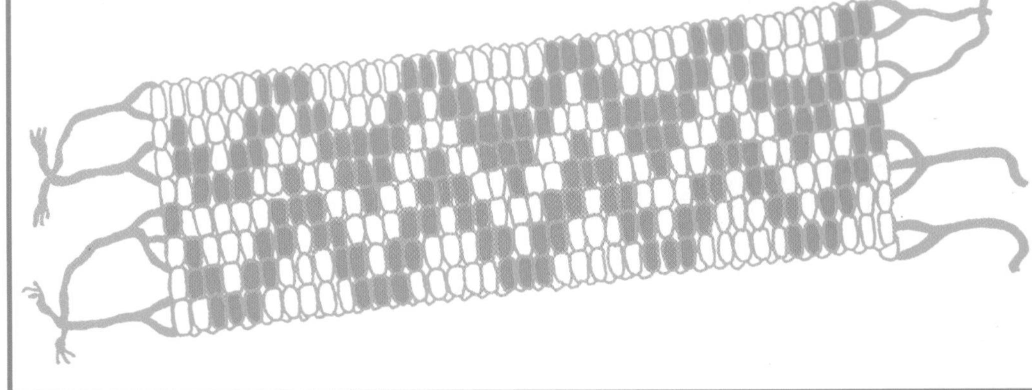

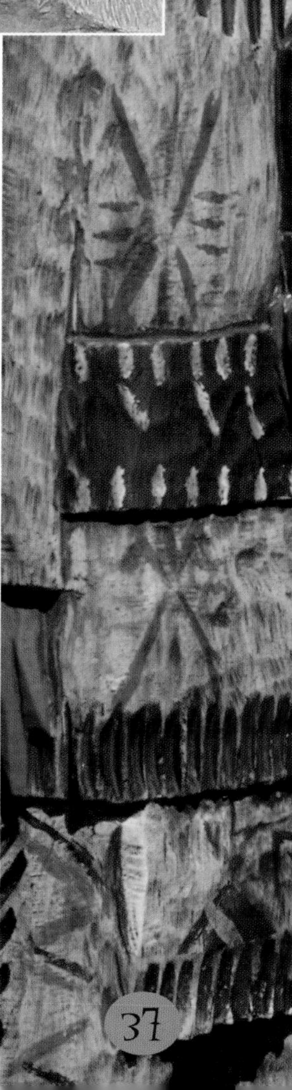

Quelles sont les tâches des femmes et des hommes ?

Hommes et femmes se partagent quelques tâches. Par exemple, les hommes fabriquent l'armature des canots et des raquettes. Les femmes cousent l'écorce du canot et tressent le fond de la raquette.

De plus, les femmes préparent les peaux des animaux. Elles confectionnent les vêtements et le matériel qui couvre le wigwam. Elles cueillent les fruits, les racines et les graines. Elles ramassent le bois de chauffage et préparent les repas. Les jeunes filles réparent les peaux et dressent le campement.

De leur côté, les hommes fabriquent les outils, les armes, les pièges et les toboggans. Ils chassent, pêchent et vont parfois à la guerre.

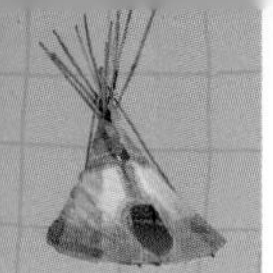

Vivre dans un wigwam

Le campement

Du printemps à l'automne, les Algonquiens installent leur campement sur les rives des cours d'eau. Ils forment des groupes de plusieurs dizaines de personnes. Leurs wigwams sont légers et recouverts d'écorce. C'est le temps des échanges, des fêtes et des mariages.

De l'automne à la fin de l'hiver, les Algonquiens se dispersent en petites bandes. Ils se trouvent parfois à des centaines de kilomètres de leur campement d'été. Ils y installent leurs wigwams qu'ils recouvrent de peaux pour se protéger du froid. Pour se nourrir durant l'hiver, ils chassent surtout du gros gibier comme l'orignal et le caribou.

Le wigwam

Le wigwam est une habitation très bien adaptée à la vie des Algonquiens. Frais en été et chaud en hiver, il est facile à démonter et à transporter dans des canots ou à dos d'hommes. Puisqu'il n'est constitué que d'une seule pièce, tous les membres d'une même famille mangent et dorment dans la même pièce. Le sol sous la tente est recouvert de branches de conifères.

Des Iroquoiens habiles

La société iroquoienne du 16e siècle comprend de multiples aspects. À toi de les découvrir !

Des femmes et des hommes actifs

Les femmes iroquoiennes s'occupent de tous les travaux agricoles. Elles préparent aussi la nourriture et confectionnent les paniers, les pots et les nattes. Elles ramassent le bois de chauffage, transforment les peaux et fabriquent les vêtements.

Les hommes préparent le sol pour la culture en défrichant, en débroussaillant et en brûlant les branches et les souches. Ils sont responsables de la chasse et de la pêche. Ils construisent les maisons et les palissades. Ils fabriquent les armes et les outils. Ils font également la guerre et le commerce.

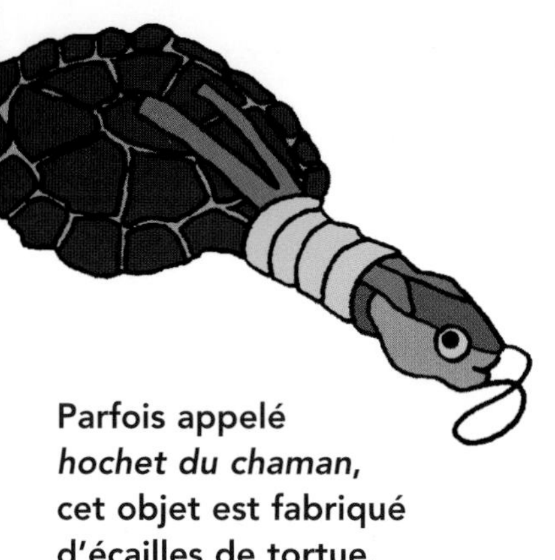

Parfois appelé *hochet du chaman*, cet objet est fabriqué d'écailles de tortue.

Des croyances bien à eux

Pour les Iroquoiens, le monde est dirigé par plusieurs dieux. La déesse Aataentsic est associée à la Lune, l'astre des femmes. Iouskeha, son petit-fils, est lié au Soleil, l'astre des hommes. Il gouverne le monde et a soin de tout ce qui est essentiel à la vie : animaux, plantes, etc. Pour les Iroquoiens, tout ce qui existe possède une âme.

Des techniques variées

POUR CULTIVER LES PLANTES

Les Iroquoiens s'installent sur de nouvelles terres périodiquement. Ils préparent le déboisement en enlevant l'écorce des arbres. Les arbres sèchent alors peu à peu et meurent. Quelques années plus tard, ils les font tomber à l'aide de cordes. Ils les taillent en bûches et les fendent avec une hache de pierre.

Une fois la terre prête, les femmes iroquoiennes la cultivent en employant des instruments très simples. Elles utilisent une houe, un petit bâton fabriqué à partir d'une branche et parfois muni d'une pierre ou d'un os. Elles brisent les mottes de terre et tracent des sillons. Elles façonnent aussi des buttes parsemées de trous où elles sèment des graines, germées auparavant dans l'eau.

Houe.

POUR CHASSER ET PÊCHER

Les Iroquoiens chassent les grands mammifères, surtout le chevreuil. Leur méthode est simple. Ils se rassemblent en grand nombre pour forcer l'animal à se diriger vers un espace clôturé ou sans issue. Une fois prise, la bête est abattue à l'arc, le plus souvent. Les pointes des flèches sont en silex, une pierre taillée. L'animal est ensuite dépecé avec des couteaux ou des éclats de pierre. La pêche, quant à elle, se pratique à l'aide de plusieurs objets : hameçons, pièges, harpons en os et filets.

Vivre dans une maison longue

Le village

Les Iroquoiens sont sédentaires et vivent principalement d'agriculture. Pendant au moins une dizaine d'années, ils demeurent à un même endroit. Ils satisfont leurs besoins grâce aux bons rendements de leurs terres et à la proximité d'une abondante provision de bois pour se chauffer.

Près de leurs champs, ils forment des villages. Certains peuvent abriter jusqu'à 2000 personnes. D'autres, plus petits, regroupent plutôt de 50 à 300 personnes. Ils entourent leur village d'une palissade pour se protéger de leurs ennemis.

La maison longue

Chaque maison mesure environ 30 mètres de long sur 10 mètres de large. Il n'y a aucune fenêtre. Une entrée est prévue à chaque extrémité, de même qu'un espace pour entreposer les réserves de nourriture et de bois de chauffage. Le poisson et les produits des récoltes y sont conservés dans des récipients d'écorce. D'autres réserves sont accrochées au plafond.

Vers le centre, des tablettes suspendues à de larges poteaux servent à ranger des marmites, des vêtements et d'autres articles courants. Pour faire des feux, on prépare des foyers à tous les six ou sept mètres sur le sol. Des trous sont faits dans le toit pour faire sortir la fumée. Les Iroquoiens dorment autour de ces feux l'hiver. L'été, ils dorment plutôt sur de larges tablettes construites le long des murs à une hauteur d'environ un mètre du sol.

DES INCAS ADROITS

Tu veux en savoir plus sur la société des Incas ? Alors, ce texte est pour toi !

DES FEMMES ET DES HOMMES OCCUPÉS

La majorité des hommes incas pratiquent l'agriculture. Certains font aussi de la pêche et de la chasse. Les hommes participent parfois à des corvées, comme la construction de ponts et d'édifices, le travail dans les mines et dans l'armée.

Les femmes voient aux travaux ménagers et au tissage, une activité très importante dans l'empire. En l'absence du mari parti en corvée, elles cultivent les champs avec les enfants.

Certaines jeunes filles sont recrutées en bas âge pour faire partie de la « maison des élues ». Il s'agit d'une sorte de couvent d'où elles ne sortent qu'à l'occasion. Certaines se marient à l'Inca ou aux seigneurs et aux chefs. D'autres deviennent servantes ou musiciennes à la cour.

DES TRÉSORS D'INGÉNIOSITÉ

POUR CULTIVER, les Incas aménagent les pentes des vallées en sorte d'escaliers géants. Il s'agit de la culture en terrasses. Ils construisent un réseau de canaux d'irrigation pour arroser les plantes dans les régions sèches. Ils emploient des outils très simples et un engrais composé d'excréments d'oiseaux, le guano.

POUR CONSERVER les pommes de terre après la récolte, les Incas les laissent à l'air libre. Ils les piétinent pour faire sortir l'eau. Après plusieurs jours, les pommes de terre sont séchées et prêtes à être entreposées.

POUR CONSTRUIRE des bâtiments, les Incas transportent d'immenses blocs de pierre, sans roue ni poulie. Ils utilisent des cordes végétales pour les tirer et des troncs d'arbres pour les rouler. Ces blocs sont ensuite taillés et polis pour qu'ils s'ajustent parfaitement.

La ville inca de Machu Picchu.

Les routes sont recouvertes d'un pavé de grosses pierres. Des ponts en lianes sont bâtis pour enjamber des vallées profondes.

POUR FABRIQUER des bijoux, des outils, des ustensiles et des plaques décoratives, les Incas utilisent des métaux (or, argent, cuivre, etc.). Certains de ces métaux sont extraits à l'aide de pics munis d'un silex. Ils sont fondus dans des fours chauffés avec du charbon et des excréments d'animaux. Le métal est alors coulé dans des moules pour obtenir des formes variées.

Les Incas fabriquent de la poterie à la main. Avant de cuire une pièce de céramique au four, ils gravent des dessins sur sa surface.

À l'aide de métiers à tisser, ils confectionnent des textiles de bonne qualité en coton et en laine d'alpaga ou de vigogne (animaux de la famille du chameau).

UN VASTE EMPIRE

La société inca est très organisée. Cuzco est la capitale de l'empire. C'est là qu'habite l'Inca. En tant que chef, il a le dernier mot sur la religion, la guerre, le travail et la production. Il partage ses immenses pouvoirs avec plusieurs personnes de son entourage. Ces personnes sont chargées du fonctionnement quotidien de l'empire. Elles s'occupent des revenus, de l'entreposage des biens et de la nourriture, du travail des gens, de la construction des ponts et des routes.

L'empire inca comprend des populations qui parlent différentes langues. Une seule langue, le quechua, est utilisée par l'Inca et les personnes de son entourage.

Voici l'empereur inca en tenue de cérémonie. Il portait le titre de «Sapa Inca», Grand Inca.

DES DIEUX PUISSANTS

Les Incas ont un grand nombre de dieux. Le Soleil, Inti, est le dieu le plus important. Il a les traits d'un homme. L'Inca est d'ailleurs considéré comme son descendant direct et comme un dieu vivant, ce qui lui vaut un immense respect. Un autre dieu, Pachamama, la terre-mère, a le visage d'une femme.

Les Incas adorent également des phénomènes naturels (montagnes, lacs, rochers, tonnerre, étoiles, Lune, etc.), des édifices (temples, chapelles, tombeaux, etc.) ou des produits agricoles (maïs, etc.).

La coya était la femme de l'Inca. Mais celui-ci avait aussi d'autres épouses moins importantes.

Extrait de «En Amérique, les Incas, le peuple du Soleil», illustré par Pierre Gay, © *Images Doc*, Paris, Bayard Jeunesse, n° 104, août 1997, p. 30-31.

Les Amérindiens d'aujourd'hui

Les Amérindiens sont arrivés au Québec il y a très longtemps. Ils ont donc appris à bien connaître le territoire et les ressources qu'on y trouve. Leurs connaissances sont encore très utiles de nos jours.

La situation actuelle des Amérindiens

On compte sur le vaste territoire québécois dix nations amérindiennes, soit 47 600 habitants en tout. Huit de ces nations font partie de la société des Algonquiens et deux de la société des Iroquoiens.

Regarde bien la carte présentée. Tu verras que ces nations se trouvent un peu partout au Québec.

Compare cette carte actuelle avec celle des territoires des sociétés autochtones vers 1500 (page 141).

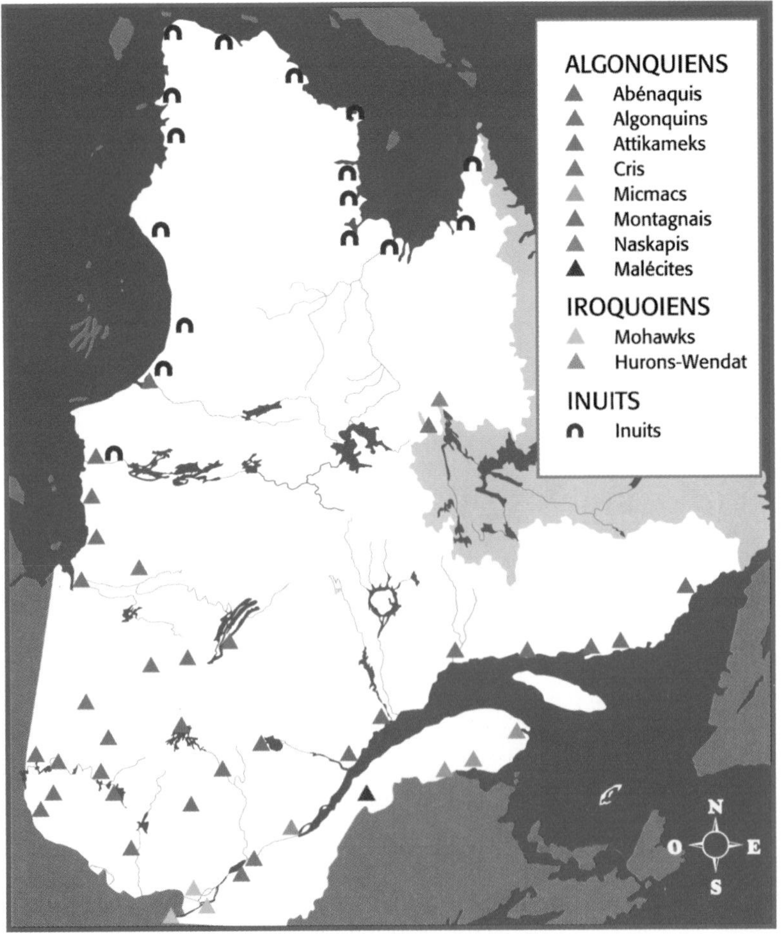

Les sociétés amérindiennes et inuites au Québec.

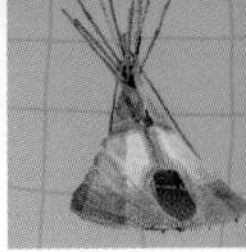

Les Amérindiens achètent leurs aliments au supermarché. Peut-être aimes-tu le bœuf strogonoff et le macaroni à la viande ? Certains jeunes Amérindiens, eux, aiment bien le caribou strogonoff et le macaroni au saumon.

Magasin général.

Les Amérindiens habitent des maisons et se déplacent en voitures et en camionnettes. Ceux qui vivent plus au nord du Québec utilisent parfois le bateau, l'avion, l'hydravion ou l'hélicoptère. C'est que, dans certains coins, il n'y a pas de route.

Collation et fête en plein air.

Village de Manawan, Lanaudière.

Les Amérindiens portent toutes sortes de vêtements : chandails et pantalons; tuques et mitaines en hiver, etc. Certains parlent le français; d'autres, l'anglais. Quelques-uns ont conservé leur langue maternelle comme l'algonquin, l'abénaquis, l'innu.

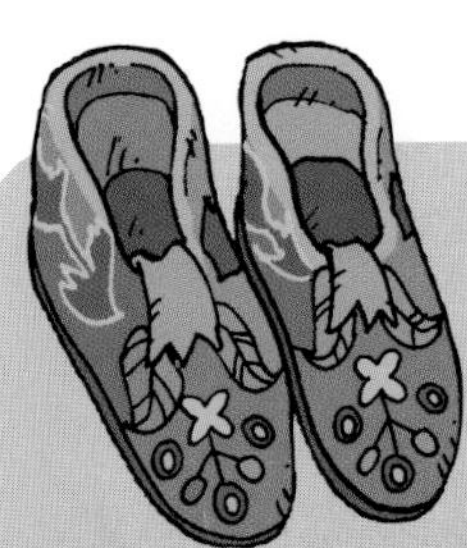

Connais-tu les « mocassins » ?

Le mocassin est probablement l'élément du costume amérindien le plus connu et le plus recherché au pays. À l'origine, les Amérindiens fabriquaient chaque chaussure dans une seule pièce de cuir. Ils décoraient le dessus et les côtés de broderies ou de perles. Chaque société amérindienne avait son modèle de mocassin et ses décorations. Le procédé de fabrication et de décoration a changé au contact des Européens. Encore aujourd'hui, cette chaussure sans talon est aimée de bien des gens.

L'héritage des Amérindiens

De nombreux objets et aliments que nous utilisons de nos jours proviennent des Amérindiens.

Tu connais les citrouilles, le maïs et les bleuets ? Eh bien, sais-tu que les Amérindiens sont les premiers à avoir cultivé ces produits ? De plus, ce sont eux qui ont montré aux Blancs comment tailler les érables pour recueillir la sève et obtenir le sirop d'érable.

Aimes-tu te promener dans la neige en raquette ou glisser en traîneau ? Ces deux objets ont été créés par les Amérindiens pour se déplacer plus facilement en hiver.

Selon toi, qui a inventé le hockey ? La Ligue nationale ou les Amérindiens ?

Ce sont les Amérindiens ! Autrefois, ils s'amusaient à l'aide d'un bâton à déplacer une rondelle de peau d'animal sur le sol. L'objectif : faire entrer la rondelle dans le but de l'équipe adverse.

De nombreuses villes et étendues d'eau portent des noms amérindiens.
Tu remarqueras que ces noms décrivent bien l'endroit.

NOM	SIGNIFICATION
Arthabaska	Là où il y a des roseaux
Chicoutimi	Fin des eaux profondes
Coaticook	Rivière de la terre de pin
Gaspé	Fin de l'extrémité
Magog	Étendue d'eau
Manicouagan	Là où il y a de l'écorce à canot
Québec	Là où c'est bloqué
Rimouski	Pays de l'orignal

Sylvie Lucas

Mary Eastman, *Jeu de balle sur la glace*, 1853.

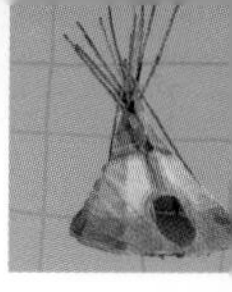

Joue au paquessen

Le jeu *paquessen* provient de la Première nation algonquine du nord-est du Québec. Il plaît aux personnes de tous les âges, et autant de participants qu'on le désire peuvent y jouer.

Pour jouer, vous avez besoin de :

Neuf boutons blancs et plats

Du vernis à ongles rouge

Un grand bol en bois

Une couverture

Des jetons
(Leur nombre peut varier.)
(Les jetons servent à compter les points. On peut en fabriquer en coupant des carrés de carton de 5 cm sur 5 cm ou en se servant de capsules de bouteilles.)

- Il faut peindre un des côtés de chaque bouton avec le vernis à ongles rouge.
- Il faut choisir une personne qui devra compter les points.
- Pour commencer le jeu, chaque personne place tour à tour les neuf boutons dans le bol et choisit une couleur, le blanc ou le rouge.
- À tour de rôle, les joueurs tiennent le bol, puis lancent soudainement les boutons en l'air et les laissent tomber sur la couverture.
- Les joueurs comptent les boutons par couleur.
- La personne qui s'occupe du pointage inscrit les résultats de chacun des joueurs sur une feuille de papier.
- La personne qui obtient le plus grand nombre de boutons de la couleur qu'elle a choisie gagne le jeu.
- Tous les autres joueurs doivent lui donner un jeton.
- La personne gagnante du jeu chante une courte chanson pendant que les autres l'écoutent.
- Vous pouvez jouer autant de fois que vous le voulez ou vous arrêter quand quelqu'un a plus de jetons que tous les autres.
- À la fin du jeu, le grand gagnant ou la grande gagnante (la personne qui a obtenu le plus grand nombre de jetons) raconte une courte histoire pendant que les autres l'écoutent.

Information : *La musique des Premières nations au Canada*, Affaires indiennes et du Nord Canada, 1998. Reproduit avec l'autorisation du ministère des Travaux publics et Services gouvernementaux Canada, 2003.

QUE TRESSE-T-ON ?

Depuis des siècles, les Amérindiens tressent des éléments de la nature (fils de tendons, feuilles de maïs, racines, bandes d'écorce, rameaux de mélèze, etc.) pour fabriquer ou décorer des objets (récipients, bijoux, poupées, chapeaux, masques, etc.).

Tresse de magnifiques bracelets

Les Autochtones utilisent le tressage pour fabriquer bien des objets. Les Iroquois tressent des feuilles de maïs pour créer des masques sacrés. Les Haïdas tressent des racines d'épinette pour faire des corbeilles ou encore tressent des écorces de cèdre pour confectionner des chapeaux. D'autres objets bien connus sont également réalisés grâce au tressage, comme les raquettes à neige des Inuits et des Premières nations ou la ceinture traditionnelle des Métis.

À l'aide de la technique de tressage expliquée ci-dessous, tu pourras, toi aussi, fabriquer de belles choses : des bracelets, des bandeaux, des ceintures ou des décorations.

En persévérant un peu, on acquiert la technique, et le tressage devient de plus en plus beau.

Il te faut quatre fils de broderie de différentes couleurs et d'une longueur d'environ un mètre. Agence l'ordre des quatre couleurs selon ton inspiration. Pour ta première réalisation, tu devrais t'en tenir à l'ordre de l'exemple : jaune, bleu, vert, rouge.

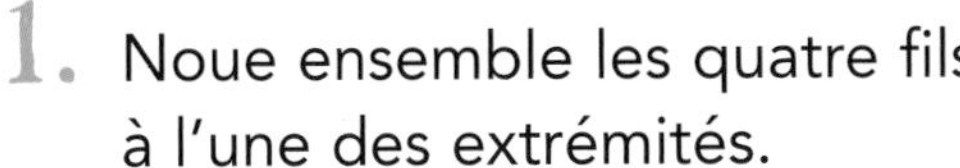

1. Noue ensemble les quatre fils à l'une des extrémités.
2. Fixe solidement à une table cette extrémité nouée avec du ruban gommé.
3. Dispose les fils à plat l'un contre l'autre selon l'ordre de couleur cité auparavant.
4. Prends les deux premiers fils (le jaune et le bleu). Fais un nœud avec les deux fils en croisant le jaune sur le bleu et en remontant délicatement le nœud jusqu'à ce qu'il soit serré suffisamment (serre assez, mais pas trop fort). Répète l'opération une deuxième fois avec les mêmes fils.

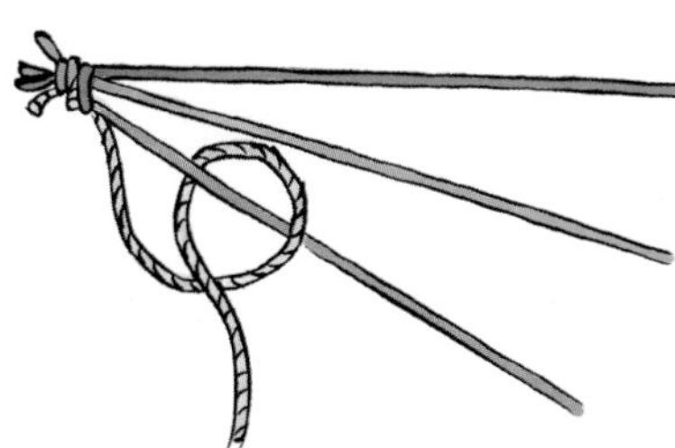

5. De nouveau avec le fil jaune, répète la même opération (deux fois) avec le fil vert.

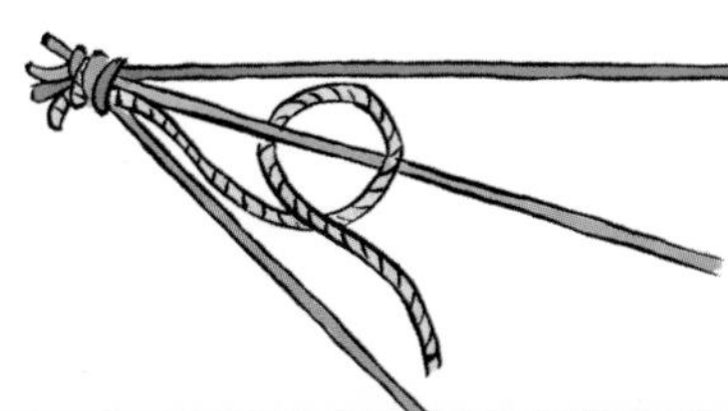

6. Toujours avec le fil jaune, répète la même opération (deux fois) avec le quatrième fil, dans ce cas-ci le rouge.

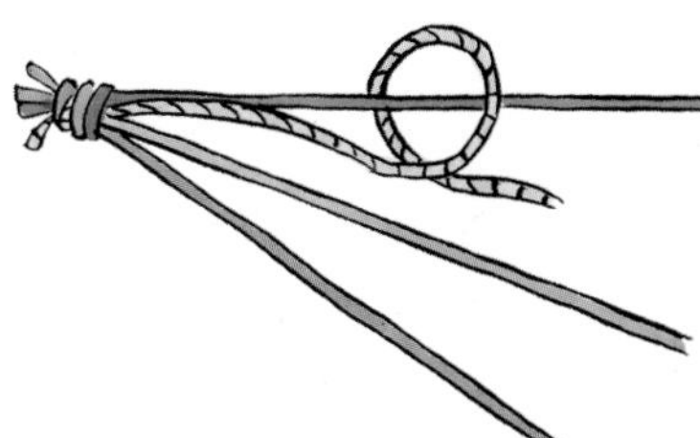

7. À cette étape, tu remarqueras que le fil jaune est maintenant à la fin (à la droite) des trois autres fils et que le bleu est au début, à gauche.
8. Répète les opérations 4, 5, 6 avec les trois autres fils, dans l'ordre (bleu, vert, rouge).
9. Lorsque tous les fils auront été tressés et que ton fil jaune se retrouvera à gauche, tu devras recommencer les opérations jusqu'à ce que tu obtiennes la longueur désirée. Par exemple, pour un bracelet de 13 cm, tu dois répéter toutes les opérations quatre fois. Tu peux fabriquer des colliers, des bagues, des ceintures, etc. Au cours du tressage, tu peux également glisser une ou plusieurs perles au milieu. Pour réaliser un tressage plus large, il faut augmenter le nombre de fils.

Soyez de la fête, Guide d'apprentissage et d'activités, Affaires indiennes et du Nord Canada, 2001, p. 27-28. Reproduit avec l'autorisation du ministère des Travaux publics et Services gouvernementaux Canada, 2003.

QUE VEULENT DIRE LES COULEURS ?

Les couleurs ont-elles une signification pour toi ? À quoi te fait penser le blanc ? le vert ? le bleu ? Tu as peut-être pensé à la neige, à l'herbe et au ciel... Pour certaines sociétés amérindiennes, des couleurs sont associées aux quatre points cardinaux : le nord est représenté par le blanc, le sud par le rouge, l'est par le jaune et l'ouest par le noir.

COMMENT FAIRE DE LA BANNIQUE

• Recette des Montagnais •

INGRÉDIENTS

- 1 litre (4 tasses) de farine
- 10 ml (2 cuiller à thé) de sel
- 25 ml (2 cuiller à soupe) de poudre à pâte
- 375 ml ($1\frac{1}{2}$ tasse) d'eau

PRÉPARATION

- Mélanger les ingrédients secs et faire un puits.
- Ajouter 375 ml d'eau au centre du puits.
- Avec une cuiller, ramener progressivement toute la farine vers le centre.
- Pétrir la pâte avec les mains en la saupoudrant légèrement de farine.
- Abaisser la pâte à environ 4 cm ($1\frac{1}{2}$ pouce).
- Chauffer le four à 200 °C (400 °F).
- Réchauffer au four une plaque à biscuits et y déposer la pâte.
- Cuire pendant une demi-heure et manger avec du beurre et… de la confiture !

DES MODES DE CUISSON VARIÉS

On peut aussi faire cuire la bannique dans un poêlon sur la braise ou sur la cuisinière. On la fait cuire aussi dans le sable. On allume d'abord un feu sur le sable et lorsqu'il est très chaud, on creuse un trou à l'emplacement du feu. On y dépose la pâte de bannique que l'on recouvre de sable, puis de braises. Elle prend alors environ une heure à cuire.

Nitassinan, Notre territoire, Boucherville, Graficor, Musée de la civilisation et ministère de l'Éducation du Québec, 1993, p. 24-25. (Coll. les Premières nations)

Le *bannock*, aussi appelé «bannique», est un mets amérindien.

MISHIMINI-OKONASS
(SAUCE AUX POMMES)

• Recette des Mohawks •

INGRÉDIENTS

- 1,8 kg (4 livres) de pommes brossées et lavées
- 225 g ($\frac{1}{2}$ livre) de sucre d'érable

ou

- 284 ml (10 onces) de sirop d'érable
- 1 litre (4 tasses) d'eau

Six à huit portions

MÉTHODE

- Peler les pommes. Enlever les cœurs de pomme.
- Mettre tous les ingrédients ensemble dans une casserole et amener au point d'ébullition.
- Réduire le feu et laisser mijoter pendant environ 50 minutes en remuant fréquemment.
- Servir sur du «bannock».

Soyez de la fête, Guide d'apprentissage et d'activités, Affaires indiennes et du Nord Canada, 2001, p. 26. Reproduit avec l'autorisation du ministère des Travaux publics et Services gouvernementaux Canada, 2003.

Voici une légende d'origine amérindienne (ici : d'Odanak). Comme toutes les légendes, celle-ci a été transmise oralement par des conteurs, de génération en génération.

LA NAISSANCE DES ESTURGEONS

Il existe un grand lac d'où coule une rivière pleine de beaux gros esturgeons. C'est de là que proviennent ces poissons dorés.

Voici leur histoire. La terre était déjà peuplée d'ours, de tortues et d'orignaux. Dans les eaux, on trouvait toutes sortes de poissons, mais on ne connaissait pas encore les esturgeons.

Un jour, un Indien, Sokalexis, debout sur les rives du lac, se peignit le corps de raies de couleur et cria à qui voulait l'entendre qu'il était un esturgeon. Puis il sauta à l'eau et disparut. Il ne revint jamais sous sa forme humaine, et c'est lui qui est le père de tous les esturgeons.

Il n'y avait cependant des esturgeons que dans ce grand lac. Les pêcheurs éloignés souhaitaient qu'ils se répandent dans les rivières. Alors, un grand manitou d'une force remarquable s'empara d'une énorme hache, posa ses pieds sur le rocher en bordure du lac. Et, en quelques coups à même la pierre, il tailla entre ses jambes une décharge d'où l'eau s'écoula pour former un ruisseau. Aussitôt, Sokalexis, le bel esturgeon, s'échappa du lac et franchit le passage devenu un cours d'eau.

C'est depuis ce temps-là qu'il y a des esturgeons dans les eaux de la rivière Kennebec. Et l'on prétend même qu'il y en aurait maintenant dans plusieurs autres rivières : ils y seraient passés le printemps, alors que les cours d'eau débordent.

Jean-Claude Dupont, *Légendes amérindiennes*, Sainte-Foy, Éditions J.-C. Dupont, 1992, p. 13.

En Nouvelle-France vers 1645

Quitter pays et amis…
C'est ce qu'ont fait les Français
en venant s'établir en Nouvelle-France.
Ils ont traversé l'océan et débarqué
dans un monde inconnu.
Ils ont rencontré les Amérindiens
qui occupaient le territoire.
Ils se sont intéressés aux animaux
à fourrure et ont fondé des villes…
Fascinant ? Oui !
Simple ? Non !

Les trois défis des premiers Français

Au début des années 1600, venir commercer ou s'installer en Nouvelle-France demande une bonne dose de courage ! Pourquoi ? Entre autres, parce que trois grands défis attendent les aventuriers…

PREMIER DÉFI
La traversée

La traversée de l'océan Atlantique est longue. Le voyage de la France à Québec dure en moyenne neuf semaines. Cependant, les tempêtes, la brume, les vents contraires et même des pirates peuvent survenir à tout moment. À cause de ces facteurs, le voyage peut durer jusqu'à trois mois.

Dans les navires, religieux, artisans, soldats, membres de l'équipage et parfois animaux vivants voyagent entassés, côte à côte. Tous vivent au rythme de la cloche ou du tambour qui sonne les heures du lever, des repas, des changements d'équipage et du coucher.

À bord, on mange surtout des biscuits et des légumes secs, des viandes et des poissons salés. On boit de l'eau et du vin rouge. Il arrive que l'eau devienne impropre à la consommation et que les rats se multiplient et grugent les provisions. Bref, la traversée ne ressemble pas exactement à une croisière !

Les bateaux font-ils l'aller-retour ?

Habituellement, un bateau qui traverse l'Atlantique jusqu'à la Nouvelle-France retourne en France la même année.

Dans les ports français, les marins tentent de charger le navire avant la fin du mois d'avril. Mais parfois, certains bateaux ne partent qu'en juin ou en juillet. À l'arrivée à Québec, en août ou en septembre, il faut décharger le bateau, le réparer et le charger à nouveau de fourrures et d'autres produits. Pour ne pas rester prisonnier des glaces, le navire doit repartir au plus tard le 25 novembre.

DEUXIÈME DÉFI
Le froid de l'hiver

Les Français arrivent habituellement en Nouvelle-France en été et parfois au début de l'automne. Ils doivent alors se préparer à affronter l'hiver, beaucoup plus rude que celui de la France. Ils construisent à la hâte des petites maisons de bois sans fondations. Le toit des maisons est en écorce ou en chaume, c'est-à-dire en paille. La cheminée est faite d'un mélange de terre et de paille. Le chauffage est tout à fait inefficace. Tout gèle… Même que parfois, le matin au réveil, on trouve des glaçons sur les couvertures !

Comment se chauffe-t-on ?

Durant l'hiver, les Amérindiens chauffent leur abri en faisant de grands feux à l'intérieur. Tentant de faire comme eux, les premiers Français constatent qu'ils supportent mal la fumée qui se dégage des feux. De plus, ce mode de chauffage oblige les personnes à se tenir près les unes des autres autour du feu. Cette manière de vivre ne convient guère aux nouveaux arrivants !

La vie à bord d'un bateau au cours de la traversée.

TROISIÈME DÉFI

La faim

L'hiver est long en Nouvelle-France… tellement long qu'on vient à manquer de variété de nourriture. En attendant l'été, l'arrivée de nouveaux produits par bateaux et les produits récoltés, les Français se contentent de galettes de sarrasin et de viandes et poissons salés apportés de France. Cette mauvaise alimentation, pauvre en aliments frais et en vitamine C, cause une terrible maladie : le scorbut. Beaucoup de gens en meurent durant les premiers hivers. Alors, ils apprennent peu à peu à conserver les viandes et les légumes tout l'hiver. Ils font des caches dans la neige et des caveaux dans la terre. Mais chaque année, une incertitude plane : les récoltes seront-elles bonnes ? Auront-ils assez de réserves ? L'hiver sera-t-il long ?

Quand le printemps revient, les Français ne sont pas au bout de leurs peines. Ils doivent explorer le territoire, se défendre, défricher la terre, construire des habitations plus confortables et trouver des moyens de vaincre le froid et la faim des prochains hivers.

Le scorbut.

Qu'y a-t-il au menu ?

Les Français en Nouvelle-France s'alimentent autrement que les Français en Europe. Que mangent donc ces nouveaux habitants ?

- Des viandes et du gibier en plus grande quantité ;
- des aliments que consomment les Amérindiens : maïs, courges, citrouilles, sève d'érable, etc. ;
- des fruits sauvages préparés de diverses manières : mûres, cerises, etc.

Grandeurs et misères de l'Habitation

Samuel de Champlain est le fondateur de Québec. Il a lui-même dirigé la construction de la première Habitation en Nouvelle-France. Voici la courte histoire de cette petite forteresse racontée par Champlain lui-même.

Du plan au drapeau flottant

3 juillet 1608

Deux navires venus de France ont accosté au pied du cap Diamant à Québec. À bord, une trentaine d'ouvriers avec tout le matériel nécessaire pour construire l'« Abitation ». L'endroit est idéal, les arbres serviront à fabriquer les murs.

D'abord, on va creuser une cave d'environ deux mètres de hauteur. Au-dessus, trois bâtiments de deux étages seront construits, entourés d'une grande galerie. De là, on verra au loin. Les ouvriers vont loger à l'étage. J'occuperai le rez-de-chaussée. Les soldats et les artisans auront aussi leur espace à eux.

Ma petite forteresse sera bien protégée. Autour, on va faire un imposant fossé. On construira un pont-levis qui sera relevé le soir pour éviter toute attaque ennemie. Je ferai aussi installer une clôture derrière laquelle seront placés des canons. J'ai bien hâte de voir flotter le drapeau français au-dessus de l'« Abitation » !

L'Habitation, d'après un dessin de Champlain.

Le magasin au centre du monde

22 septembre 1608

On est ici depuis déjà trois mois, et la construction de l'« Abitation » est terminée. On peut enfin se préparer pour l'hiver qui approche. Dans la cave se trouve le magasin. C'est un peu le coffre-fort de la colonie. On y stocke la nourriture, les marchandises de traite, les fourrures ainsi que les armes et les munitions pour la défense des lieux. L'« Abitation » devient l'entrepôt du commerce des fourrures. Je souhaite même qu'on puisse exploiter ici toutes les ressources du milieu. La colonie de Québec constituera en quelque sorte le centre d'un Nouveau Monde français. Pourquoi pas ?

Salle commune de l'Habitation en 1627.

Des réparations à l'Habitation

Comment écrit-on...

Au 17e siècle, certains mots sont écrits différemment de maintenant. C'est le cas des termes *habitation* et *Québec*. Regarde l'illustration à la page 61.

16 janvier 1609

Je suis bien décidé à passer la saison froide en Nouvelle-France. Je veux prouver qu'il est possible de survivre en cette terre, malgré la rigueur du climat. Le premier hiver est épouvantable. À la fin du mois de juin, des navires de France chargés de nourriture accosteront ici. Il sera grand temps ! La fondation de Québec coûte cher en vies humaines...

8 juin 1620

Le temps passe, et le rude climat a incommodé l'« Abitation ». Dans les années qui ont suivi sa construction, ma petite forteresse a dû subir d'importantes réparations. Après un court séjour en France, je reviens ici en compagnie de mon épouse Hélène. Le bâtiment est en piteux état. L'eau et le froid s'infiltrent partout. J'ai aussitôt demandé à des ouvriers d'effectuer les travaux nécessaires pour rendre les lieux habitables.

Des ruines à la reconstruction

15 septembre 1623

L'« Abitation » aura duré 15 ans. Un jour, des charpentiers et des maçons m'ont convaincu de reconstruire le bâtiment. Il ne servait à rien de continuer de le réparer chaque année. À tout moment, l'« Abitation » menaçait de s'effondrer.

M'étant donc fait à l'idée, je trace les plans d'un nouveau bâtiment carré en pierre, avec des tourelles à chaque angle. La construction commencera au mois de mai prochain.

20 juin 1626

Après une absence de deux ans, je suis de retour de la France. La reconstruction de l'« Abitation » n'est toujours pas terminée. Mes plans ont été pas mal simplifiés. L'édifice compte un seul logement principal pourvu d'une tourelle à chaque coin de la façade. La seconde « Abitation » n'aura jamais aussi fière allure que la première...

En 1975 et 1976, ces tourelles de la deuxième Habitation ont été découvertes sous la place Royale et l'église Notre-Dame-des-Victoires.

Marie Dufour

La maison des habitants

Au début de la colonie, les maisons sont semblables. Elles mesurent environ 5 mètres sur 6 mètres et ne comprennent qu'une seule pièce et qu'un seul étage. Le bois est le matériau par excellence, car la forêt couvre presque entièrement le territoire de la Nouvelle-France ! Voici quelques détails sur ces maisons.

A Les toits en pente permettent d'éviter l'accumulation de neige et de glace.

B La cheminée est construite en terre ou en torchis (mélange de terre et de paille hachée).

C Les fenêtres sont petites et munies de solides volets pour empêcher le froid et le vent d'entrer dans la maison. Aucune fenêtre n'est percée sur le mur du côté nord, là où soufflent les vents froids.

D Les fenêtres sont faites de petits carreaux de verre qui viennent de la France. Certaines personnes n'ont pas les moyens d'acheter ces carreaux de verre. Elles les remplacent par du papier ciré ou du papier enduit d'huile pour laisser entrer un peu de lumière.

E Le foyer a deux fonctions : cuire les aliments et chauffer la maison.

F Le colon, son épouse et les membres de leur famille vivent dans l'unique pièce de la maison. Enroulés dans des peaux, ils dorment sur des paillasses devant la cheminée.

G Les meubles sont fabriqués au fil des ans par les habitants eux-mêmes.

Comment les maisons ont-elles évolué ?

Avec le temps, les maisons se sont transformées. Pour les protéger du froid, les gens se sont mis à construire des fondations de pierre et à orienter leur habitation dos au vent. Pour les protéger de la pluie et du gel, ils ont recouvert les murs extérieurs de chaux. Puis, ils ont construit plus d'une cheminée par maison.

LA NAISSANCE DES VILLES

Imagine que les villes ou les villages disparaissent.
Il n'y a plus de maisons, plus de routes.
Les premiers habitants découvrent les lieux.

Saurais-tu reconnaître ce que les premiers habitants de ton milieu ont peut-être pensé ?

Ces premiers habitants ont choisi un endroit où s'installer. D'autres gens sont venus les rejoindre, puis d'autres encore. Une ville ou un village est né. Il a grandi. Peut-être grandit-il encore.

Quelle vignette représente le mieux la naissance de ton milieu ?

LA NAISSANCE DE MONTRÉAL

Une quarantaine de Français se sont installés à Ville-Marie en 1642, au moment de sa fondation. Dix-huit ans plus tard, 400 personnes habitent l'île. Parmi ces personnes, 82 sont nées à Ville-Marie !

Carcajou raconte...

Remontons dans le temps, vers les années 1620. Carcajou est un Algonquin. Il chasse et pêche sur son territoire pour nourrir sa famille. Depuis l'arrivée des premiers Français, il participe au commerce des fourrures. Laissons-le raconter comment il s'y prend.

Comment chassez-vous le castor ?

«Tout dépend de la saison. Au printemps, on capture le castor en l'attirant au moyen de son bois préféré. Lorsque l'animal vient manger le bois jeté dans l'eau, un gros billot tombe sur lui et l'assomme. L'hiver, on le chasse sous la glace à l'aide d'un filet. Près de la hutte du castor, on fend la glace. Dans l'eau, on plonge un filet résistant et du bois en guise d'appât. L'animal cherchant de la nourriture se prend alors dans le filet. Il faut sortir rapidement la bête de l'eau, car ses dents coupantes peuvent réduire le filet en pièces. On assomme ensuite le castor avec un gros bâton.»

Quel genre d'échange faites-vous avec les Européens ?

«Le commerce des fourrures avec les Français est très important, et particulièrement celui du castor. Fait étrange : les Européens préfèrent acheter les vieilles robes de peaux de castor que l'on porte l'hiver. Il paraît que ce type de peau se transforme facilement en feutre de grande qualité. C'est à partir de cette matière que les Français confectionnent des chapeaux.

En échange des peaux, on obtient toutes sortes d'objets venant d'Europe. Moi, je m'intéresse surtout aux outils en métal comme les couteaux et les haches. La monnaie de castor vaut cher ! Imaginez... contre une seule peau, je peux me procurer huit couteaux ou deux haches.»

Comment distinguer les fourrures ?

Les Amérindiens vendent deux sortes de fourrures de castor : le «castor gras» et le «castor sec». Les fourrures appelées «castor gras» ont déjà été portées par les Amérindiens. En effet, l'hiver, les Amérindiens s'habillent de fourrures, en mettant le côté du poil à l'intérieur. Pour assouplir les peaux, ils les grattent et les frottent afin de faire tomber les longs poils. Il reste alors une couche de fond, recouverte de poils courts et facile à détacher. C'est cette couche qu'utilisent les Français pour fabriquer des chapeaux de feutre.

Le «castor sec», lui, n'a pas été porté ni traité par les Amérindiens. Dans ce cas, le travail de préparation des peaux est plus long et plus complexe pour les Français.

Est-il facile de trouver des fourrures ?

«Il y a quelques années, s'approvisionner en fourrures était assez facile. Mais aujourd'hui, on a tellement chassé qu'il n'y a plus de castors dans la vallée du Saint-Laurent. Il faut aller de plus en plus vers l'Ouest pour en trouver. Or, ce territoire est fréquenté par nos ennemis, les Iroquois. Ceux-ci commercent les fourrures avec les Anglais, qui sont en conflit avec nos alliés français. Résultat : la guerre des fourrures nuit au commerce.

Beaucoup de mes frères algonquins et aussi des Hurons ont été tués. Les autres n'osent plus faire la traite vers l'Ouest, à cause des Iroquois. À mon avis, le commerce des fourrures aura une fin…»

Marie Dufour

Commerce à un poste de traite.

D'HIER À AUJOURD'HUI

LES PREMIERS FRANÇAIS À VENIR S'ÉTABLIR EN NOUVELLE-FRANCE ONT LAISSÉ DES TRACES DE LEUR PASSAGE. POUR NOUS RAPPELER CETTE ÉPOQUE, PROMENONS-NOUS DANS LES VILLES QUI ONT ÉTÉ LES TROIS PREMIERS ÉTABLISSEMENTS DANS LA VALLÉE DU SAINT-LAURENT: QUÉBEC, TROIS-RIVIÈRES ET MONTRÉAL.

TROIS-RIVIÈRES

Au temps de la Nouvelle-France, l'activité principale de la communauté de Trois-Rivières est le commerce des fourrures. Environ 370 ans après la fondation de cet établissement, peu de choses restent de cette époque. En 1908, un important incendie a détruit presque toute la vieille ville. Ainsi, la plupart des constructions anciennes n'existent plus.

Cependant, un monument rappelle le courage du sieur de Laviolette et de ses compagnons. C'est sur un petit coteau, où quelques maisons entourées d'une palissade étaient construites, que les Amérindiens faisaient la traite des fourrures.

Pont Laviolette, à Trois-Rivières.

L'île Saint-Quentin, située sur la rivière Saint-Maurice, est aujourd'hui un parc municipal. Une croix rappelle celle que Jacques Cartier avait lui-même plantée à cet endroit en 1535.

Un peu partout dans la ville, des lieux (rues, écoles et parcs) portent le nom des bâtisseurs de Trois-Rivières. Des panneaux installés à certains endroits, surtout dans le quartier historique du Vieux-Trois-Rivières, nous font découvrir des moments importants de l'histoire de la ville.

Monastère des Ursulines de Trois-Rivières.

Monument de Laviolette.

QUÉBEC

Il reste encore de nombreuses traces de la Nouvelle-France dans la ville de Québec. Pour baigner dans l'atmosphère qui régnait à cette époque, il suffit d'une balade aux alentours de Place-Royale, particulièrement à l'église Notre-Dame-des-Victoires. Les bâtiments restaurés et les écrits présentés permettent d'imaginer le grand va-et-vient d'autrefois. On peut également entrer dans les caves voûtées des maisons Louis-Fornel, Guillaume-Pagé dit Quercy et Estèbe. De plus, des centres d'interprétation décrivent l'histoire des lieux et la vie des gens à l'aide d'expositions, d'animations, d'objets et de costumes d'époque. Au cours de l'été, certaines manifestations culturelles se tiennent à Place-Royale : reconstitutions historiques, marchés publics d'antan, etc.

Tous ces éléments marquent le caractère français de la première ville française d'Amérique du Nord, dont le cap était considéré comme une véritable forteresse naturelle. L'arrondissement historique du Vieux-Québec est maintenant inscrit dans la *Liste du patrimoine mondial*.

Musée de l'Amérique française et entrée du Séminaire de Québec.

Marché d'antan à Place-Royale.

Vieux-Québec.

MONTRÉAL

Plus de 360 ans après sa fondation, Montréal est devenue la plus grande ville du Québec. Des traces de ses origines sont conservées.

Le musée de Pointe-à-Callière est construit sur le site même de Ville-Marie, ce premier fort bâti sur une pointe de terre entre le fleuve Saint-Laurent et une petite rivière. Dans ce musée, on trouve, entre autres, les vestiges du premier cimetière et des objets de l'époque découverts sur place. On peut aussi voir les traces des pieux de la palissade, des piquets dont l'un des bouts est pointu et peut être enfoncé dans le sol.

À Montréal, certains lieux et quelques bâtiments rappellent la Nouvelle-France. On peut les observer particulièrement dans le Vieux-Montréal. Ses rues étroites, ses constructions en pierre grise, la place Jacques-Cartier, le marché Bonsecours, etc., en font un quartier historique très intéressant. De plus, un peu partout dans la ville, de nombreux noms d'édifices et de rues évoquent les premiers bâtisseurs de la Nouvelle-France.

Parc Jeanne-Mance.

Rue Saint-Paul, Vieux-Montréal.

Musée de Pointe-à-Callière.

Une galerie de personnages

Voici quelques personnages importants des débuts de la Nouvelle-France. Par leur détermination, ces hommes et ces femmes ont marqué l'histoire de la colonie.

CHARLES HUAULT DE MONTMAGNY (vers 1583-1653)

Pour remplacer Champlain, mort en 1635, le roi de France choisit Charles Huault de Montmagny. Cet homme devient donc **gouverneur de la Nouvelle-France en 1636** Ⓐ. Il s'installe à Québec, au fort Saint-Louis, avec le mandat de transformer le poste de traite de Québec en véritable ville. Il délimite la ville, prévoit des rues et s'occupe de la construction de murs de défense. Il exerce cette fonction jusqu'en 1648.

JEANNE MANCE (1606-1673)

Jeanne Mance arrive à Québec en août 1641. Dans le groupe de fondateurs de Ville-Marie, elle occupe les fonctions d'administratrice et d'infirmière. **En 1642, elle fonde et dirige le premier hôpital de Montréal** Ⓑ, l'Hôtel-Dieu. Jeanne Mance y soigne les malades et les blessés. Elle meurt à Montréal en 1673. Aujourd'hui, un monument érigé devant l'Hôtel-Dieu nous rappelle son œuvre.

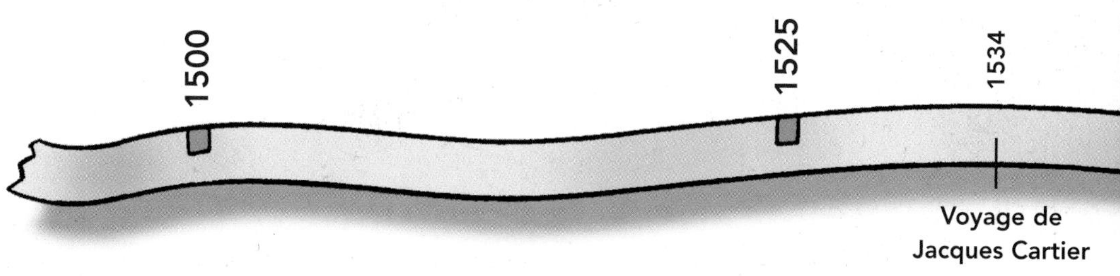

ÉTIENNE BRÛLÉ (vers 1591-1633)

Jeune et aventurier, Étienne Brûlé fait partie des premiers Français qui arrivent en Nouvelle-France. **En 1610, Champlain envoie Étienne Brûlé vivre parmi les Algonquins** (C) afin qu'il apprenne leur langue. En retour, Champlain accueille Savignon, un jeune Huron à qui il apprend le français. Un an plus tard, Étienne Brûlé est de retour à Québec. Champlain veut lui confier la tâche d'interprète, mais il refuse et part vivre parmi les Hurons. Il est le premier Français à se rendre dans la région des Grands Lacs. Certains disent qu'il est le «premier coureur des bois». Il finit sa vie parmi les Hurons.

LOUIS HÉBERT (vers 1575-1627) ET MARIE ROLLET (vers 1588-1649)

Louis Hébert, sa femme (Marie Rollet) et leurs trois enfants **arrivent en Nouvelle-France en 1617** (D). Il s'agit de la première famille française à venir s'y installer. Tous les membres de la famille défrichent le sol, le cultivent et obtiennent des champs de céréales, un verger et des pâturages pour leur petit troupeau. En France, Louis Hébert soignait les gens à l'aide de plantes médicinales. Ici, il met son savoir au service de la colonie française et des Amérindiens. Il meurt en 1627. Quant à Marie Rollet, elle enseigne aux jeunes Amérindiens. Elle meurt en 1649 à Québec.

1550

1575

1600

1608 (C)

Fondation de Québec

PÈRE PAUL LE JEUNE (1591-1664)

Le père Paul Le Jeune est un religieux, un missionnaire jésuite. Il **débarque en Nouvelle-France en 1632** (E) avec l'intention de convertir les Amérindiens. Comme les autres Jésuites, il accompagne parfois les explorateurs français. Il écrit de nombreux textes pour témoigner de la vie difficile au début de la colonie. Publiés en France dans les volumes *Relations des Jésuites*, ses textes et ceux des autres missionnaires suscitent beaucoup d'intérêt. Encore aujourd'hui, on peut en lire des extraits dans de nombreux manuels d'histoire.

MARIE DE L'INCARNATION (1599-1672)

À 40 ans, Marie de l'Incarnation est l'une des trois premières religieuses ursulines qui **débarquent à Québec en 1639** (F). Aussitôt, elle entreprend la construction d'un grand monastère pour loger les religieuses et éduquer les jeunes filles. Malgré les difficultés, elle est déterminée à instruire les jeunes amérindiennes. Pour cela, elle se met à l'étude des langues indiennes et rédige un dictionnaire français-algonquin. Elle meurt à Québec en 1672. Aujourd'hui, certains travaux artistiques de l'époque de Marie de l'Incarnation sont conservés au musée des Ursulines à Québec.

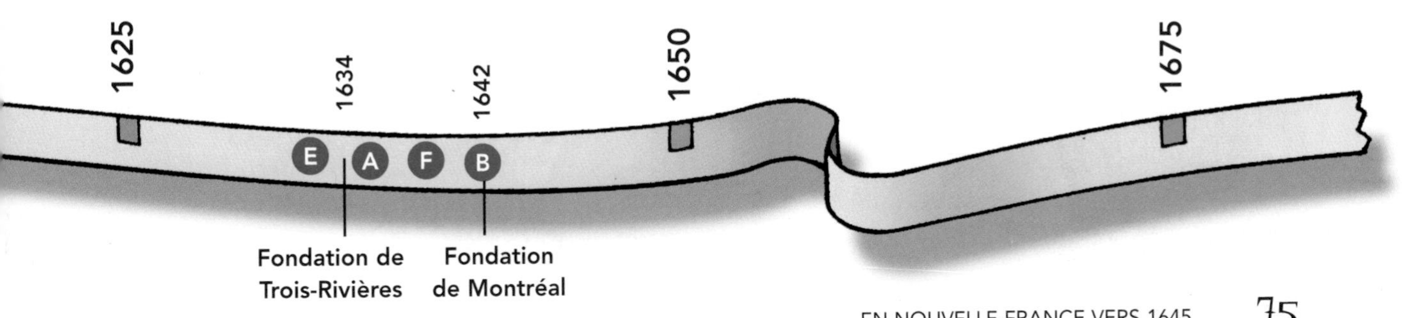

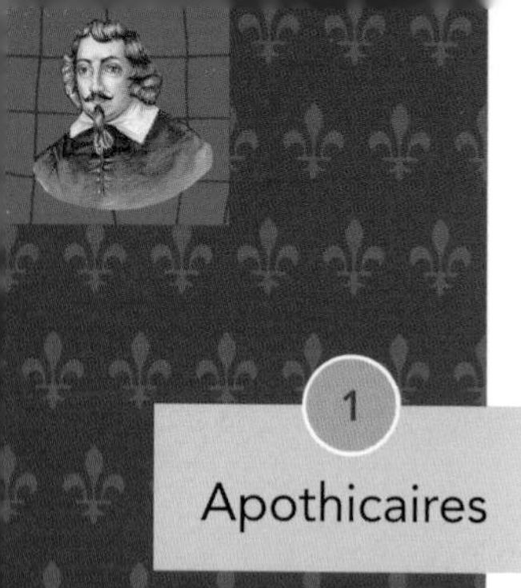

Qui fait quoi

Au 17e siècle, les Français pratiquent différents métiers dans la colonie. Voici une courte présentation de certaines de leurs activités et une liste de métiers. À toi d'associer le métier qui correspond à chacune des activités !

Réponses à la page 152.

1 Apothicaires

2 Armuriers

3 Bedeaux

4 Lanterniers

5 Doreurs

6 Chapeliers

7 Charpentiers

8 Charrons

9 Cordonniers

A — Nous fabriquons les tissus. Nous sommes...

B — Nous confectionnons les chapeaux pour les hommes et les femmes. Nous sommes...

C — Nous vendons des produits dans nos magasins. Nous sommes...

D — Nous travaillons les pièces de bois et nous en servons pour faire des constructions. Nous sommes...

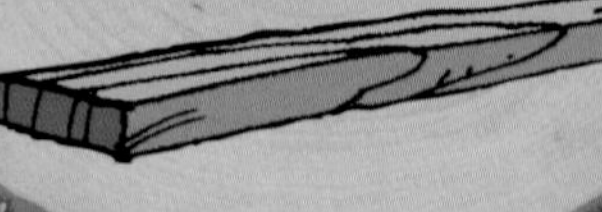

E — Nous faisons du bon pain et le vendons. Nous sommes...

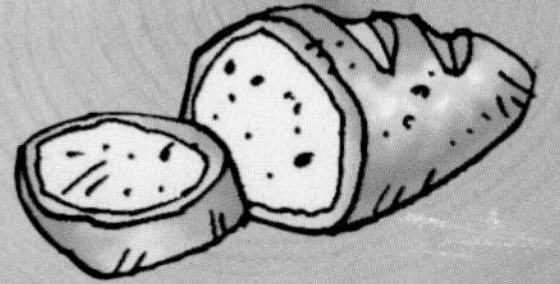

F — Nous possédons un moulin et fabriquons de la farine. Nous sommes...

G — Nous recouvrons d'une fine feuille d'or certaines parties de sculptures religieuses. Nous sommes...

H — Nous aidons les femmes à donner naissance à leur nouveau-né. Nous sommes...

I — Nous fabriquons des lanternes en fer ou en cuivre et des chandeliers. Nous sommes...

en Nouvelle-France?

Et les femmes ?

Au début, la population est majoritairement composée d'hommes. Ainsi, plusieurs des métiers sont pratiqués surtout par des hommes, certains par des femmes. De plus, la population n'est pas très nombreuse. Aussi, les gens pratiquent souvent plus d'un métier.

J — Nous fabriquons et réparons les tonneaux. Nous sommes...

K — Nous préparons des remèdes et des médicaments. Nous sommes...

L — Nous fabriquons toutes les pièces des chariots, même les roues! Nous sommes...

M — Nous taillons les pierres et nous en servons pour faire des constructions. Nous sommes...

N — Nous nous occupons de l'entretien de l'église : nous faisons le ménage et les réparations nécessaires. Nous sommes...

O — Nous fabriquons des chaussures. Nous sommes...

P — Nous préparons les peaux d'animaux pour en faire du cuir. Nous sommes...

Q — Nous fabriquons des armes, les réparons et les vendons. Nous sommes...

R — Nous coupons les arbres, enlevons les souches et préparons la terre pour la cultiver. Nous sommes...

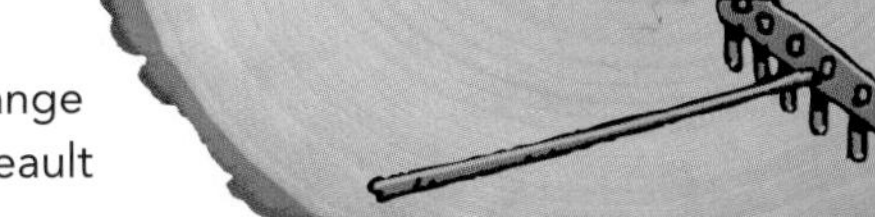

Solange Tétreault

10 Tisserands

11 Défricheurs

12 Sages-femmes

13 Maçons

14 Marchands

15 Tanneurs

16 Meuniers

17 Boulangers

18 Tonneliers

Toutes pour un

On est en 1632. Un riche marchand est arrivé depuis peu de temps à Québec en Nouvelle-France. Tous les habitants de la ville ont remarqué qu'il maltraite un petit esclave noir. Un soir, la jeune Louise Couillart et ses sœurs adoptives amérindiennes, Charité et Espérance, se promènent le long du fleuve. Elles voient alors le jeune esclave noir qui est encore une fois battu par son maître. Cet homme le roue de coups sur le dos. Le petit ne peut pratiquement plus bouger…
Louise et ses sœurs sont indignées et décident d'aider le garçon.

•

Dans la petite maison des Couillart, tout est noir et silencieux. L'unique pièce est séparée en deux parties par un simple rideau. D'un côté, il y a la cuisine, et de l'autre, la chambre avec ses trois lits. Dans le premier dorment les parents. Dans le deuxième, les trois plus jeunes enfants. Dans le dernier, les trois jeunes filles ont les yeux ouverts.

Louise donne un coup de coude à ses sœurs. C'est le signal qu'elles attendaient pour se lever. À pas de loup, les adolescentes quittent la maison et empruntent le sentier de la montagne.

En arrivant près de l'entrepôt de fourrures, elles s'approchent de la charrette où le jeune esclave a été battu par son maître. Le pauvre garçon passe la nuit dehors. Louise lui touche l'épaule, et il s'éveille en sursautant.

— Chut ! Ne crains rien. Mes sœurs et moi, nous allons te libérer et nous te trouverons une bonne cachette.

Retenant ses plaintes, le garçon se relève. Ses amies l'entraînent sur le sentier de la montagne. En haut de la falaise, elles tournent à gauche et se rendent à une petite cabane en bois rond.

Louise cogne à la porte et l'ouvre sans attendre.

— Grand-maman Marie ! Nous avons besoin de votre aide.

La maison est plongée dans le noir. Une voix endormie répond à la jeune fille pendant qu'une main allume une bougie. La femme qui tient la chandelle demande :

— Qu'est-ce qui se passe ? Est-ce qu'il y a le feu chez vous ?

— Non, grand-maman, la rassure Louise.

— Et... qu'est-ce que vous m'amenez là ?

Louise pousse le garçon vers la vieille femme en la suppliant :

— Je vous en prie, grand-maman, il faut le soigner. Il n'y a que vous qui en soyez capable.

Marie Hébert, la grand-mère de Louise, a reconnu l'esclave. Elle examine les plaies qui recouvrent le dos de l'enfant. Si son mari, Louis Hébert, vivait encore, il n'hésiterait pas un instant à le soigner. En effet, du temps qu'il vivait en France, Louis Hébert fabriquait des médicaments pour Sa Majesté.

Marie sort les fioles et les pots contenant les ingrédients nécessaires tout en lançant ses ordres :

— Louise, aide-le à s'étendre sur mon lit. Espérance, allume un petit feu. Charité, remplis ce bol avec de l'eau de pluie. Il y en a dehors dans le baril. Couvre-le bien, Louise, il a des frissons.

Les filles obéissent sans un mot. Lorsque tout est prêt, Marie applique sur le dos du pauvre garçon une pommade qui le soulage. Pour faire baisser sa fièvre, elle lui donne à boire de l'eau fraîche mélangée à quelques gouttes d'un mystérieux produit. Le jeune malade ne tarde pas à s'endormir.

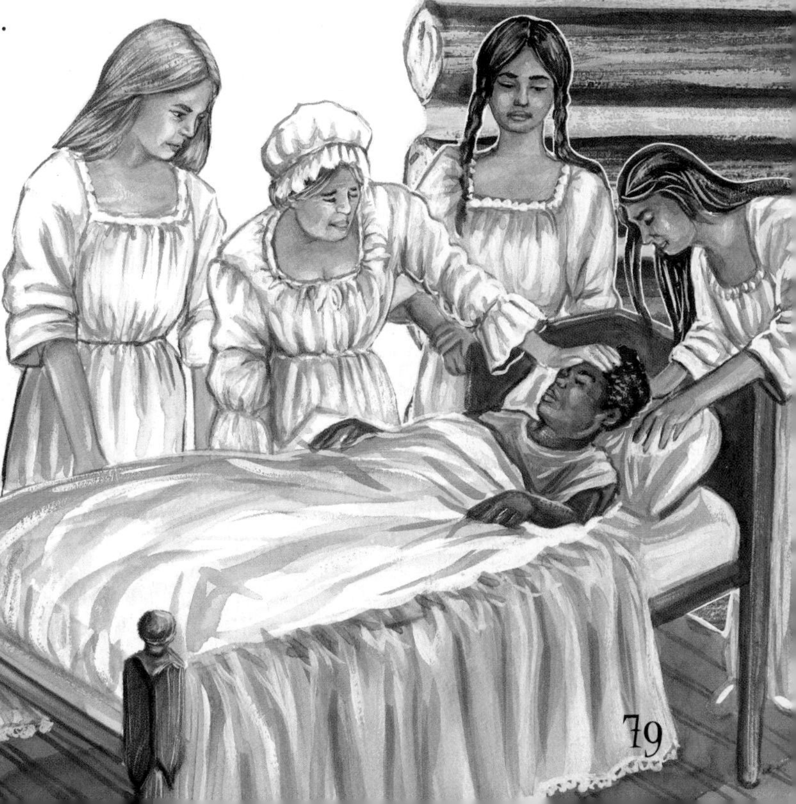

Marie le borde et se tourne ensuite vers les filles :

— Maintenant, c'est l'heure des explications. Ce garçon ne devrait pas être chez moi, mais chez son maître.

Toutes les trois à la fois, elles racontent ce dont elles ont été témoins.

— Votre bonté vous honore, mes enfants. Mais le maître cherchera son esclave et lorsqu'il le retrouvera, il le punira encore plus durement.

— Mais s'il ne le trouvait jamais..., objecte Louise.

— Québec n'est pas si grand, fillette.

— Grand-maman Marie, avec une bonne cachette, il ne court aucun danger, oppose Charité.

— Et où est-elle, cette bonne cachette ? questionne la grand-mère.

— Dans mon village ! affirme Espérance.

Marie réfléchit quelques instants.

— Il y a cependant deux légers inconvénients. Ce garçon n'est pas en état de voyager. Il a besoin de deux ou trois jours de repos, car ton village est très loin d'ici. Tadoussac est à plusieurs jours de marche. Et qui ira le reconduire jusque-là ?

Les filles sourient, elles ont les solutions. Louise déclare :

— Je connais un homme qui peut s'en charger. Il est très généreux et il connaît bien la forêt. C'est Olivier Letardif, il est coureur des bois et interprète pour les Montagnais.

— Oui, oui, admet Marie, c'est un homme fiable, et les Indiens l'apprécient. Ils voudront sûrement l'aider et garder ce garçon pour lui.

— Alors, en attendant, où va-t-il rester, demande la grand-mère ?

Au moment où elle pose cette question, Marie Hébert devine la réponse. Ses petites-filles ont imaginé qu'elle garderait l'esclave jusqu'à ce qu'il aille mieux. Elle regarde avec attention le visage endormi du garçon et pèse le pour et le contre. Peut-elle vraiment le chasser de la maison, dans l'état où il est ?

Le sourire de Marie avertit les filles qu'elle accepte.

Susanne Julien, extrait de *Esclave à vendre*, Iberville, Coïncidence/Jeunesse, 1993, p. 46-53. (Coll. Transition)

Entre le récit et la réalité...

Vers 1630, des esclaves se trouvent effectivement en Nouvelle-France. Il semble même que le premier soit un jeune garçon. Selon les historiens, cet esclave aurait finalement été adopté par la famille Couillard...

En Nouvelle-France, on achète des esclaves noirs pour travailler. Les grands personnages de la colonie, les communautés religieuses et les marchands les possèdent comme domestiques. C'est pourquoi ils vivent surtout à la ville, particulièrement à Montréal. À la campagne, leur vie est plus difficile, car ils s'occupent des durs travaux de la terre.

En Nouvelle-France vers 1745

Vers 1745, le territoire de la Nouvelle-France est très vaste. Dans les villes et les campagnes, le paysage se modifie peu à peu. La population aussi change : Amérindiens et Canadiens apprennent à vivre ensemble. Ils s'habituent également à côtoyer leurs voisins des Treize colonies. Remonte dans le temps et penche-toi sur cette page d'histoire…

LES VOISINS ANGLAIS

La population des Treize colonies

Le roi de France a décidé que seuls les gens de religion catholique peuvent s'établir en Nouvelle-France. Le roi d'Angleterre, quant à lui, a permis à des personnes de différentes religions de s'installer dans les Treize colonies. Ainsi, dans les Treize colonies, on trouve des gens de différentes religions et origines (anglaise, écossaise, irlandaise, hollandaise, etc.).

Combien de gens y a-t-il ?

Vers 1745, les Treize colonies regroupent environ 1 250 000 habitants. La population est nombreuse, mais le territoire est limité. Par contre, en Nouvelle-France, la population est plus petite, mais le territoire est vaste. Pourquoi y a-t-il une si grande différence de population ? En Nouvelle-France, le climat comporte des hivers rigoureux. Les guerres iroquoises découragent les gens de venir s'y établir. De plus, ils doivent obligatoirement être catholiques.

POPULATION DE LA NOUVELLE-FRANCE ET DES TREIZE COLONIES		
Année	Nouvelle-France	Treize colonies
1608	28 habitants	350 habitants
1675	8 000 habitants	75 000 habitants
1754	55 000 habitants	1 500 000 habitants

Les colonies sont-elles unies ?

Comme chaque colonie anglaise a son propre gouvernement, chacune s'occupe donc de ses affaires. Aussi, au début du 18e siècle, les colonies du nord s'inquiètent du nombre grandissant de Canadiens à proximité de leur territoire. Celles du centre se préoccupent plutôt du peu d'espace libre qu'elles ont. Enfin, celles du sud ne se sentent pas du tout concernées par les problèmes des colonies du nord et du centre. L'unité de l'ensemble des colonies se fera donc très lentement.

Métier : habitant
Vivre à la campagne en 1745

En Nouvelle-France, vers 1745, trois personnes sur quatre demeurent en campagne. Les gens qui vivent de la terre sont appelés «les habitants». Ils ont des familles nombreuses. Voici la petite histoire de Louise et Jean-Baptiste Caron.

Mon nom est Louise. Mon mari Jean-Baptiste et moi cultivons la terre. Notre maison en pierre est située au bord du fleuve. Autour de la maison se trouvent le puits, le four à pain, le caveau à légumes et quelques bâtiments. Nous produisons presque tous les aliments que nous consommons. La vie des habitants est difficile, mais elle a aussi ses bons côtés !

Nos débuts

Je me rappelle l'état des lieux à notre arrivée. Nous avions une longue bande de terre étroite qui allait jusqu'au fleuve. Plus tard, j'ai compris que l'étroitesse des terres permettait au plus grand nombre possible d'habitants d'avoir accès à l'eau. Il s'agit d'un avantage très important, car ce cours d'eau est notre seule voie de communication et notre seul lieu de pêche. Comme la terre était couverte d'arbres, d'arbustes et de pierres, il a fallu la défricher avant de s'y établir. Transformer une forêt en champs cultivables était tout un travail ! Nous avons seulement conservé une partie boisée pour l'approvisionnement en bois.

Notre maison

Une maison typique de l'époque.

La maison que nous habitons est en pierre recouverte de chaux. Les fenêtres sont munies de volets qui protègent du vent et des ennemis. À l'intérieur, il y a quatre pièces, dont une où se trouvent un foyer et un poêle en fonte. Le mobilier est assez simple : une table, des chaises, un banc, des lits et un berceau. Pour ranger les vêtements, les draps, la vaisselle et les aliments, nous avons un coffre et un buffet. Nous prenons l'eau dans un puits situé près de la maison. Nous nous éclairons avec des chandelles ou une lampe en fer dans laquelle brûle une mèche enduite de gras animal. Parmi les bâtiments entourant la maison, il y a les lieux d'aisances (toilettes rustiques), une laiterie et une grange qui sert aussi d'étable.

Au printemps et en été

La vie sur la terre suit le rythme des saisons. Au printemps, c'est le temps des semences ; à l'été, le temps des foins et des récoltes. Tout le monde participe au travail, car la saison chaude est courte, et il y a beaucoup à faire. Nous, nous cultivons le blé et l'avoine. Notre blé sert à fabriquer le pain. Les légumes viennent du potager. Beaucoup de petits fruits sont cueillis dans les champs. Nous réservons certains produits de notre récolte pour les vendre au marché de la ville.

De plus, nous élevons des bœufs, des vaches et des porcs. Nous devons nous en occuper été comme hiver. L'été ne pose pas de problème, les bêtes sont dehors. Mais nous devons penser à les nourrir l'hiver. Comme nos animaux passeront six mois dans l'étable, il faut faire de grandes provisions de foin.

La herse est utilisée pour briser les mottes de terre et enfouir les semences.

À l'automne et en hiver

Après le feu roulant de l'été, nous adoptons un rythme de vie plus lent. L'automne venu, Jean-Baptiste prépare le bois de chauffage. Nous tuons aussi quelques bêtes pour avoir de la viande durant l'hiver. Comme les froids commencent, la viande gèle et elle est ainsi facile à conserver. De plus, Jean-Baptiste répare et remise les voitures de ferme, de même que les instruments (herse, faux, faucilles, râteaux, fourches, etc.). Il fabrique aussi des jouets et des meubles pendant que je confectionne ou répare des vêtements. Puis, nous nous occupons de nos bêtes. Nous essayons d'éviter que certaines meurent pendant l'hiver. Parfois, elles finissent l'hiver en mangeant de la paille, car c'est tout ce qu'il nous reste. Elles sont d'une maigreur effrayante lorsque le printemps revient.

Pour découvrir le territoire qu'occupe la Nouvelle-France en 1745, consulte la carte de la page 143.

Une ferme de la Nouvelle-France au 18e siècle.

La saison froide donne lieu à des activités sociales. Nous en profitons pour faire des randonnées en carriole, et réunir parents et amis pour chanter, danser, boire et raconter des histoires. Bien que la vie des habitants soit difficile, elle a ses bons moments.

Marie Dufour

Vivre dans une seigneurie

La seigneurie est une vaste étendue de terre qui appartient à un seigneur. Cet homme se réserve une partie de la terre pour en faire son domaine. Il y construit sa maison et un moulin à farine. Il sépare le reste de sa terre en bandes étroites le long du cours d'eau et les distribue à des habitants. Ces gens, qu'on nomme «les censitaires», s'engagent à défricher la terre, à construire leur maison et à participer aux corvées sur le domaine seigneurial.

Vers la fin de chaque année, les censitaires doivent payer le seigneur. C'est ce qu'on appelle «les cens», une sorte de loyer pour la terre. Les habitants peuvent faire leur paiement en argent ou à l'aide de divers produits provenant de la ferme, de la chasse ou de la pêche. Le seigneur s'engage à entretenir le moulin à farine, à construire une église et, parfois même, un moulin à scie pour tous ses censitaires.

Métier : tonnelier

Vivre en ville en 1745

En Nouvelle-France, vers 1745, une personne sur quatre habite dans une ville. Les villes les plus développées sont Québec, Montréal, Trois-Rivières et Louisbourg. Elles sont construites sur le bord d'un important plan d'eau. Voici la petite histoire d'Édouard Grenier et de sa famille.

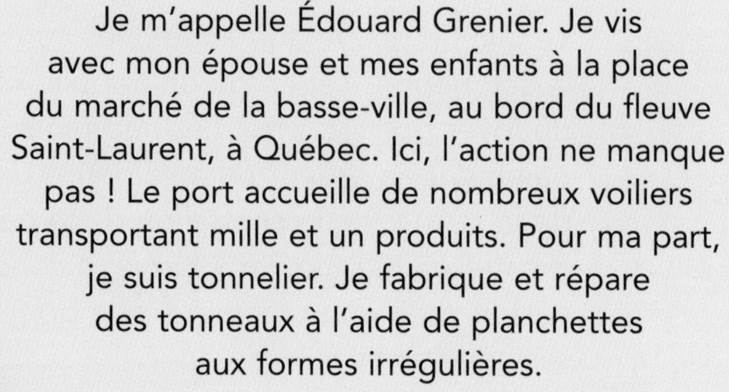

Je m'appelle Édouard Grenier. Je vis avec mon épouse et mes enfants à la place du marché de la basse-ville, au bord du fleuve Saint-Laurent, à Québec. Ici, l'action ne manque pas ! Le port accueille de nombreux voiliers transportant mille et un produits. Pour ma part, je suis tonnelier. Je fabrique et répare des tonneaux à l'aide de planchettes aux formes irrégulières.

Le tonneau sert à conserver les aliments solides ou liquides. On l'utilise aussi pour transporter différentes marchandises à bord des voiliers. La taille des bateaux est même évaluée d'après leur capacité à contenir des tonneaux. On dit, par exemple, d'un grand voilier, que c'est un 500 tonneaux !

Mes débuts

Comme pour la plupart des métiers en Nouvelle-France, j'ai d'abord été apprenti. Pendant trois ans, j'ai secondé mon maître tonnelier qui m'a patiemment appris mon métier. Il m'a même hébergé, car je venais d'une petite campagne, à l'extérieur de la ville. Après ces trois années, j'ai ouvert mon propre atelier dans la basse-ville de Québec.

Ma maison

Au début de la colonie, les maisons étaient presque toutes construites en bois. Puis, en 1682, un terrible incendie dans la basse-ville a détruit presque toute la place. Depuis, la peur des incendies est sans cesse présente. Le gouverneur a imposé des règlements pour éviter d'autres catastrophes. Aussi, il a vraiment fallu changer la façon de construire nos maisons.

Notre maison est en pierre; seule sa charpente est en bois. Ses quatre pièces sont réparties sur deux paliers. Ma boutique est aménagée dans la cuisine, là où est la grande cheminée. Nous prenons nos repas dans la pièce d'à côté qui contient plusieurs meubles, dont une table, des chaises, un lit et une armoire de rangement. Nous nous éclairons avec des chandeliers de cuivre. Les autres pièces, à l'étage, servent d'entrepôt et de chambres pour les enfants. En effet, mes enfants dorment près des sacs de farine et de mes fusils de chasse. Dans notre petite cour se trouvent les autres bâtiments: le fournil pour cuire le pain, la boucherie, les lieux d'aisances et l'étable.

Comment bâtir les maisons ?

Nous devons de plus en plus utiliser la pierre. Les toits doivent être en pente (en forme d'accent circonflexe) et, si possible, faits de tôle. Des échelles doivent être fixées sur les toits pour nous permettre de ramoner les cheminées régulièrement et ainsi d'éviter les incendies. Les maisons doivent être séparées les unes des autres par de hauts murs de pierre qui servent de «coupe-feu». Nous commençons à utiliser des poêles en fer.

LES FEMMES AU TRAVAIL

Les femmes jouent un rôle important pour permettre à leur famille de joindre les deux bouts. Certaines occupent des emplois de couturière, de blanchisseuse, de marchande ou d'aubergiste. Les épouses des artisans surveillent les jeunes apprentis. D'autres acceptent chez elles des locataires.

Le jour de marché

La place se transforme en immense marché public deux fois par semaine. Ma famille et tous les gens de la ville peuvent s'y procurer les produits dont ils ont besoin pour se nourrir.

Très tôt le matin, les habitants, les pêcheurs et les chasseurs arrivent, le plus souvent par le fleuve. Ces hommes et ces femmes viennent vendre des produits frais qui varient selon les saisons: fruits, légumes, beurre, œufs, grain, volaille, gibier, viande et poisson. Tous doivent suivre certaines règles, par exemple ne jamais étaler leurs produits devant la porte de l'église Notre-Dame-des-Victoires, ne pas troubler la messe ni vendre du poisson devant les maisons privées.

Toute la journée, les vendeurs et les clients se rencontrent. Évidemment, chacun essaie d'obtenir le meilleur prix. La place se remplit et bourdonne d'activités. Tout le monde en profite pour faire la tournée des boutiques.

Marie Dufour

James Pattison Cockburn, *Le marché de la basse-ville et l'église Notre-Dame-des-Victoires*, 1830.

Vivre à Québec en 1745

La ville de Québec s'est développée en deux parties distinctes : la haute-ville et la basse-ville.

Juste au-dessus du port, le fort Saint-Louis domine le haut de la falaise. Dans ce fort se trouve le château Saint-Louis, lieu de résidence du gouverneur général de la Nouvelle-France. Il s'agit de la haute-ville. Une bonne partie de la superficie de la haute-ville est occupée par les propriétés des religieux et des religieuses, dont le Séminaire et l'hôpital Hôtel-Dieu. De plus, certaines familles riches de Québec habitent cette partie de la ville. Une rue et un grand escalier relient la haute-ville à la basse-ville.

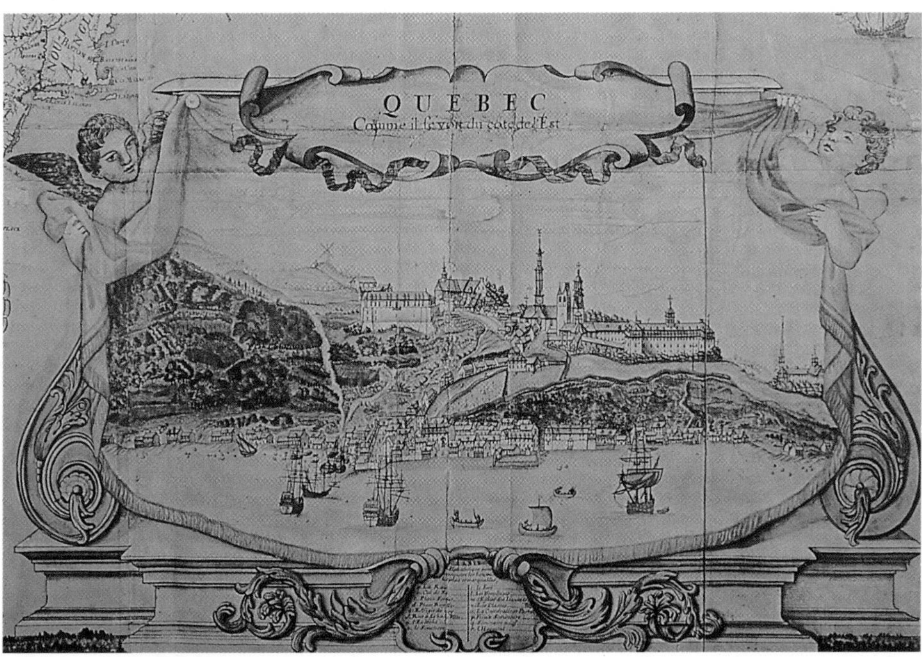

Plan de la ville de Québec.

Située entre le fleuve et la falaise, la basse-ville est la partie la plus peuplée. En plus du port, on y trouve la place du marché. Constituant le cœur de la ville, la place est aussi le site où Champlain a construit son Habitation en 1608. À l'emplacement même de l'Habitation, on a bâti l'église Notre-Dame-des-Victoires. De grandes maisons, des ateliers et des boutiques entourent également la place. Le marché public se tient chaque semaine à cet endroit très achalandé.

De Ville-Marie à Montréal

Tu te rappelles la fondation de Ville-Marie par Maisonneuve ? C'était une toute petite forteresse à ses débuts. Ville-Marie n'a pas cessé de se développer au fil du temps. Vers 1705, Ville-Marie est devenue «Montréal». Aujourd'hui, Montréal est la plus grande ville du Québec.

Imagine que tu vis à Montréal au 18e siècle. À cette époque, la France et l'Angleterre sont en guerre. Plusieurs batailles se livrent sur le continent américain. Pour se protéger des attaques des Anglais, le gouverneur de Montréal [...] a chargé un ingénieur [...] de construire des fortifications de pierre. Chaque fois que tu veux entrer dans la cité, tu dois traverser des fossés profonds remplis d'eau et passer par l'une des sept portes de la haute muraille flanquée de treize bastions.

Dans l'enceinte de la ville, tu es en sécurité. Il y a tant de choses à faire. Donner un coup de main à la boutique de tes parents. Sarcler le potager. Aller chercher l'eau à la fontaine ou au puits. Ferrer le cheval chez le forgeron. Écouter les annonces officielles criées au son du tambour sur la place publique. Faire les courses, rue Saint-Paul. Attention de ne rien oublier ! Et il faut encore nettoyer les déchets entassés dans la rue, car il n'y a ni trottoirs, ni égouts, ni éboueurs. Ouf ! Déjà neuf heures du soir ! C'est le couvre-feu. Le guet demande à tous les habitants de rentrer chez eux. Les portes de la ville sont fermées. Tu peux dormir en paix...

Le **séminaire de Saint-Sulpice** est le plus ancien bâtiment de Montréal. Au 18e siècle, peu de personnes portaient une montre, car c'était un objet très luxueux. Pour connaître l'heure, les Montréalais se fiaient à l'horloge du séminaire. À cette époque, le mouvement de l'horloge était entièrement en bois, et la légende raconte qu'il ne s'est arrêté qu'une fois.

Devenus inutiles, les remparts de pierre ont été rasés au début du 19e siècle. L'ancienne cité fortifiée est aujourd'hui un quartier historique qu'on appelle le Vieux-Montréal. Les maisons construites à l'époque de la Nouvelle-France ont été abattues ou détruites par les incendies, mais des lois protègent les édifices qui les ont remplacées et interdisent leur démolition.
En te promenant dans les rues étroites du Vieux-Montréal, tu peux [...] imaginer la vie des premiers Montréalais.

Marie-Josée Cardinal, illustré par Doris Barrette, *Montréal d'est en ouest*, Laval, Éditions les 400 coups, 1995, p. 10-11.

QUI GOUVERNE MONTRÉAL ?

À l'époque, le gouverneur de Montréal est Claude de Ramezay. De plus, l'ingénieur chargé de construire les fortifications est Gaspard Chaussegros de Léry.

UN MONUMENT QUI EN DIT LONG

C'est sur le site de la place d'Armes […] qu'a eu lieu la première bataille entre les Iroquois et les colons de Ville-Marie. Le monument, érigé en 1895, est l'œuvre du sculpteur Philippe Hébert.

Arrête-toi devant le monument de la place d'Armes. Ils sont tous là; tous les fondateurs de Montréal. Approche-toi... Plus près. Regarde bien ! L'histoire commence en France au 17e siècle.

Sur un des bas-reliefs, tu aperçois Jerôme Le Royer de la Dauversière et Jean-Jacques Olier entourés d'amis [...]. On peut presque les entendre discuter tellement ils sont passionnés. Leur projet ? Fonder une société nouvelle dans l'île de Montréal, où les Français et les Amérindiens vivraient en harmonie.

Il faut un chef courageux prêt à se lancer dans l'aventure. Paul de Chomedey, sieur de Maisonneuve, est l'homme de la situation. Quant à Jeanne Mance, personne ne pourrait l'empêcher d'embarquer pour le Canada. Elle en rêvait déjà à douze ans ! Avec cinquante compagnons, ils quittent la France et font voile vers le Canada.

Jeanne Mance.

Le 17 mai 1642, Maisonneuve met pied à terre sur l'île de Montréal. Le père Vimont célèbre la première messe. Les cantiques résonnent, tandis que le soir tombe sur les forêts de la Nouvelle-France. Nos héros doivent passer leur première nuit sous la tente. Mais Montréal, qu'on appelle aussi Ville-Marie, est fondé !

Les Hurons et les Algonquins s'allient avec les nouveaux arrivants. Mais les Iroquois, la plus puissante des nations indiennes, combattent l'envahisseur blanc. Un jour du printemps 1644, la chienne Pilote donne l'alerte. Les Indiens attaquent ! Les Français ripostent et Maisonneuve tue le chef iroquois. [...] La colonie est en péril. Il faut des renforts...

Un Iroquois.

Lambert Closse et Pilote.

Voici Lambert Closse [...]. Il assure la défense de Montréal, tandis que Charles Le Moyne, spécialiste des langues indiennes, négocie une trêve avec les Iroquois. Les Montréalistes, comme on les appelle à l'époque, reprennent le travail. Jeanne Mance ouvre son hôpital. Les colons bûchent, labourent, sèment.

Charles Le Moyne.

Au printemps 1660, trois cents Iroquois font irruption sur la rivière Outaouais. Ce n'est que l'avant-garde d'une armée de guerriers prête à fondre sur la colonie. Le jeune officier téméraire Adam Dollard des Ormeaux et ses seize compagnons parviennent à leur tenir tête pendant plusieurs jours avant de tomber sous le nombre. Cette [...] bataille détourne les Iroquois de leur projet d'attaquer la colonie.

Les tensions durent encore plusieurs années entre Iroquois et Français. Toutefois, au mois d'août 1701, plus de mille ambassadeurs indiens se présentent à Ville-Marie. De part et d'autre, on veut la paix. Le gouverneur de la Nouvelle-France, Hector de Callières, signe le traité qu'on a appelé la paix de Montréal. Chaque chef amérindien dessine son totem au bas du parchemin. Le calumet de paix remplace la hache de guerre.

Marie-Josée Cardinal, illustré par Doris Barrette, *Montréal d'est en ouest*, Laval, Éditions les 400 coups, 1995, p. 8-9.

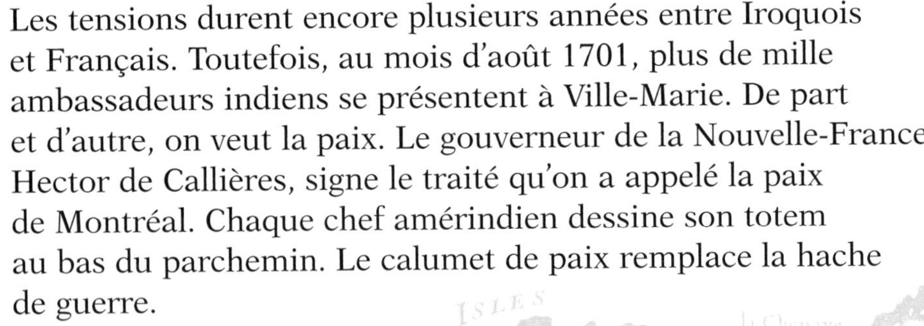

Les différents noms de l'endroit

En 1535, un village d'Iroquoiens se trouve sur l'île de Montréal lors de l'arrivée de Jacques Cartier. Il s'agit d'*Hochelaga*. Quand les Français arrivent presque cent ans plus tard, le village a disparu. Ils considèrent alors que le territoire est inhabité. En 1642, ils y fondent *Ville-Marie*. Ce nom est choisi à Paris par les gens qui ont encouragé cette fondation. Au fil des ans, Ville-Marie se développe et prend finalement le nom de *Montréal*. Aujourd'hui, Montréal est la plus grande ville francophone d'Amérique.

Qui défend les colonies vers 1745 ?

La Nouvelle-France

D'un point de vue militaire, la Nouvelle-France est très bien organisée à l'époque. Cela est probablement dû au fait que la colonie a longtemps eu à se battre contre les Iroquois au 17e siècle. Pour se défendre, elle peut compter sur 900 soldats de la Marine française, environ 800 Amérindiens domiciliés et près de 8400 volontaires canadiens. Le total ainsi obtenu est d'environ 10 000 personnes.

Les Treize colonies

D'un point de vue militaire, les Treize colonies sont moins bien organisées que la Nouvelle-France. Elles disposent d'environ 3000 volontaires parmi les colons et de 1000 soldats des troupes régulières. Le total ainsi obtenu est d'environ 4000 personnes.

Des forts pour se mettre à l'abri

Pour protéger le territoire immense de la Nouvelle-France, on fortifie des villes et on bâtit des forts à des endroits stratégiques le long des cours d'eau. Ainsi, au milieu du 18e siècle, Québec devient une ville fortifiée. Dans les années 1740, on y construit un mur qui protège la ville du côté ouest (entre la porte Saint-Louis et la porte Saint-Jean). À Montréal, on érige un mur de pierre autour de la ville pour protéger les habitants. Des forts sont réparés ou bâtis sur les rives de la rivière Richelieu et des Grands Lacs. Les soldats participent eux-mêmes à la construction des fortifications.

De nos jours, il reste des traces de ces fortifications. Par exemple, Québec a toujours six kilomètres de murs de pierre. C'est la seule ville en Amérique du Nord qui a conservé ses murs d'origine. Le fort de Chambly a été restauré et transformé en musée. Par contre, à Montréal, on a détruit le mur de pierre en 1812.

Fort de Chambly.

QUI DIRIGE LES

En Nouvelle-France

Le roi de France nomme tous ses représentants en Nouvelle-France.

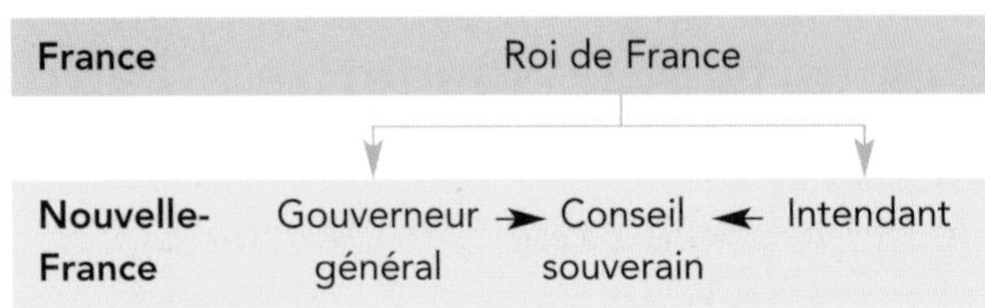

Le **gouverneur général** est l'homme le plus important de la Nouvelle-France. Il s'occupe principalement de l'armée, des forts et des liens avec les sociétés amérindiennes.

À Québec, le château Saint-Louis est le lieu de résidence du gouverneur. Il y demeure en présence des soldats chargés de sa garde personnelle, d'un maître d'hôtel, d'un jardinier et des domestiques. Dominant la falaise au-dessus du port, ce château est protégé d'une muraille qu'on appelle « Fort Saint-Louis ».

L'**intendant** collabore étroitement avec le gouverneur général. Ce personnage très important aux yeux des habitants de la Nouvelle-France s'occupe des affaires courantes : la justice, la santé, la sécurité, les industries et l'agriculture.

Le gouverneur général et l'intendant se réunissent régulièrement avec l'évêque et quelques autres personnages importants pour discuter des affaires de la colonie. Ensemble, ils forment le **Conseil souverain**.

Château Saint-Louis.

COLONIES VERS 1745 ?

Les Treize colonies

Les Treize colonies sont dirigées par le roi d'Angleterre ou par des compagnies. Elles sont toutes indépendantes les unes des autres.

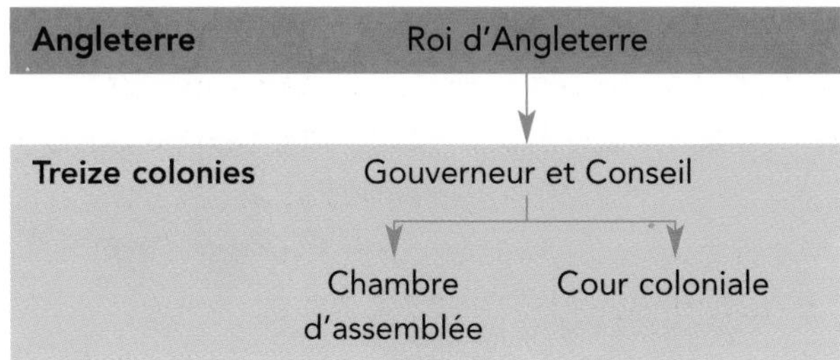

Vers 1745, 9 des 13 colonies sont des colonies royales, c'est-à-dire qu'elles sont directement sous la responsabilité du roi d'Angleterre. Le **gouverneur** représente le roi personnellement. C'est lui qui chapeaute la Chambre d'assemblée et la Cour coloniale. Il est secondé par le **Conseil** dont les membres sont choisis parmi les riches propriétaires des colonies.

La **Chambre d'assemblée** est composée de membres élus. Seuls ceux qui possèdent une propriété peuvent en faire partie. La principale responsabilité de cette Chambre est de voter les lois.

La **Cour coloniale** est chargée de faire appliquer les lois. Les gens de la cour s'occupent également de diverses tâches administratives.

La population des colonies peut influencer les dirigeants, car elle est appelée à voter. Les gens prennent ainsi réellement part à la politique de leur colonie. Ce n'est pas ainsi en Nouvelle-France où toutes les décisions sont prises par le roi et ses représentants.

Une nouvelle galerie de personnages

Mgr FRANÇOIS DE LAVAL (1623-1708)

François de Laval débarque à Québec en 1659. Il fonde le Séminaire de Québec, une école fréquentée par les garçons afin de devenir prêtres. En 1675, il devient le premier évêque de la colonie (A).

François de Laval fonde des paroisses, nomme les curés et dirige toutes les affaires religieuses. Étant souvent le personnage le plus instruit d'une paroisse, le curé est très écouté par la population, et son influence est grande. La religion catholique prend une place importante dans la vie des Canadiens.

JEAN TALON (1625-1694)

Jean Talon naît en France en 1625. Il occupe le poste d'intendant de la Nouvelle-France durant cinq ans, entre 1665 (B) et 1672. Ses pouvoirs sont nombreux. Il est responsable de la justice, du respect des lois et des affaires publiques. Il administre le budget de la colonie. Il favorise également le peuplement en organisant la venue des filles du roi. Il incite les soldats français à s'établir sur des terres. Il encourage la création d'industries et d'un chantier naval (endroit où on construit des bateaux). Il meurt en France en 1694.

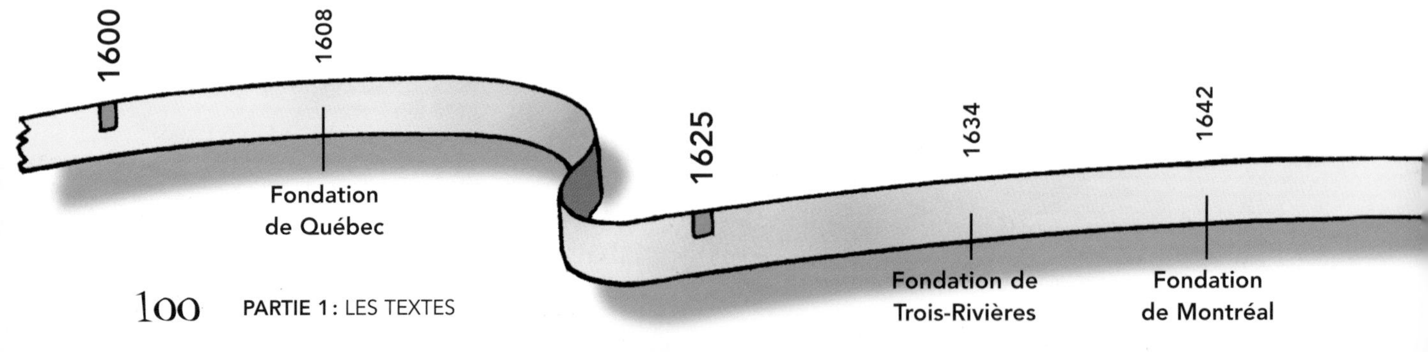

LES FILLES DU ROI (arrivée : 1663-1673)

Environ 800 filles du roi sont venues entre 1663 C et 1673. Le roi paie leur traversée et leur fournit ce dont elles ont besoin pour commencer leur vie en Nouvelle-France. Certaines d'entre elles sont orphelines. Elles doivent être âgées de 15 à 25 ans, être en bonne forme physique et «posséder un bon caractère». Elles arrivent par bateau une centaine à la fois. Elles séjournent d'abord chez les religieuses pour récupérer après un long et parfois pénible voyage. Puis, elles sont incitées à se marier dans les 15 jours suivant leur arrivée.

LES SOLDATS (arrivée : 1665)

La colonie est constamment menacée par les guerres contre les Iroquois. **En 1665, le roi de France envoie une armée D** de près de 1300 soldats du régiment de Carignan-Salières. Les soldats enseignent aux habitants quelques tactiques de guerre et construisent des forts principalement le long de la rivière Richelieu (Sorel, Chambly, Verchères, Contrecœur, etc.). Ils affrontent les Iroquois jusqu'à ce que la paix soit rétablie en 1667. Comme la plupart sont célibataires, ils sont encouragés à rester en Nouvelle-France. Parmi ces soldats, 400 choisissent de ne pas retourner en France et deviennent donc des Canadiens.

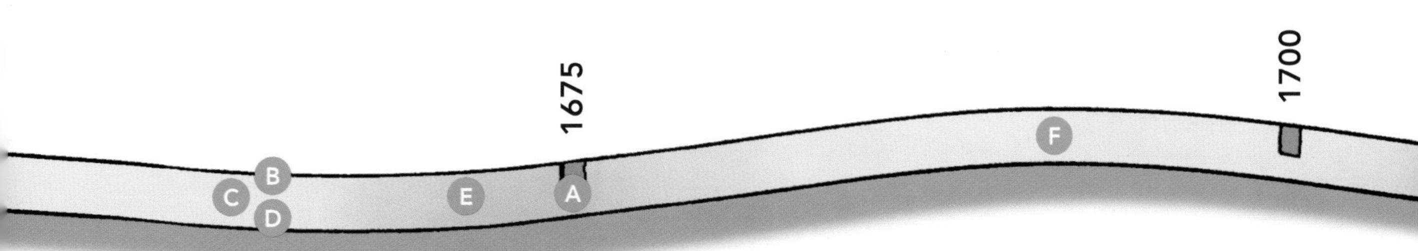

FRONTENAC (1622-1698)

Frontenac naît en France en 1622. Il est nommé gouverneur général de la Nouvelle-France et s'embarque pour Québec en 1672 E. Pour améliorer le commerce des fourrures, il encourage la création de nouveaux postes de traite vers l'ouest. Le territoire prend de l'expansion le long du fleuve Mississippi et du lac Winnipeg. Il défend aussi la colonie contre des attaques iroquoises. Frontenac meurt en 1698. Il laisse derrière lui un territoire beaucoup plus vaste qu'à son arrivée.

MADELEINE DE VERCHÈRES (1678-1747)

Une des plus célèbres batailles entre Iroquois et Français a lieu à Verchères, sur la rive sud du Saint-Laurent, en 1692 F. Ce jour-là, une bande d'Iroquois attaque quelques colons à l'extérieur de la palissade. Une fille de 14 ans, Madeleine Jarret de Verchères, est poursuivie et saisie par son foulard. Elle se libère en le dénouant. Ensuite, elle court vers la palissade, ferme la porte et donne l'alarme. Elle tire un coup de canon pour signaler que les habitants sont victimes d'une attaque. Quelques jours plus tard, une troupe armée vient leur prêter secours. Aujourd'hui, à Verchères, un monument rappelle le courage de cette jeune fille.

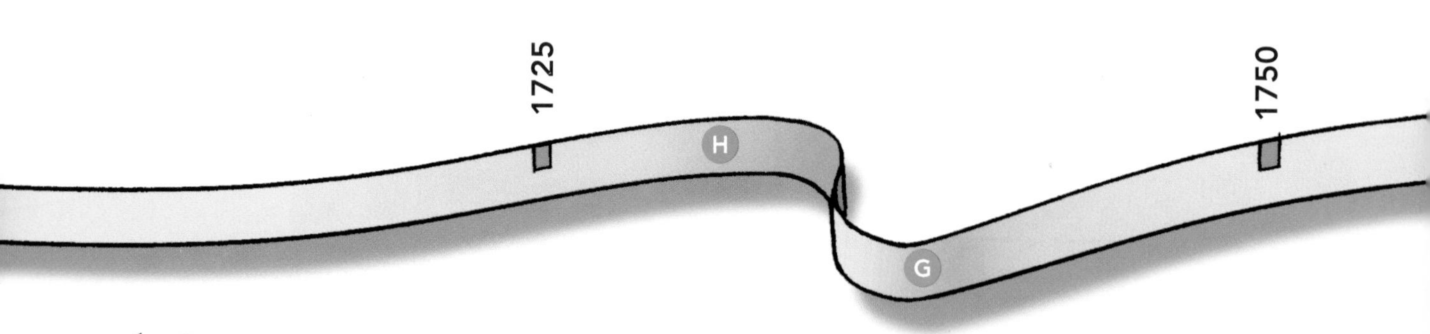

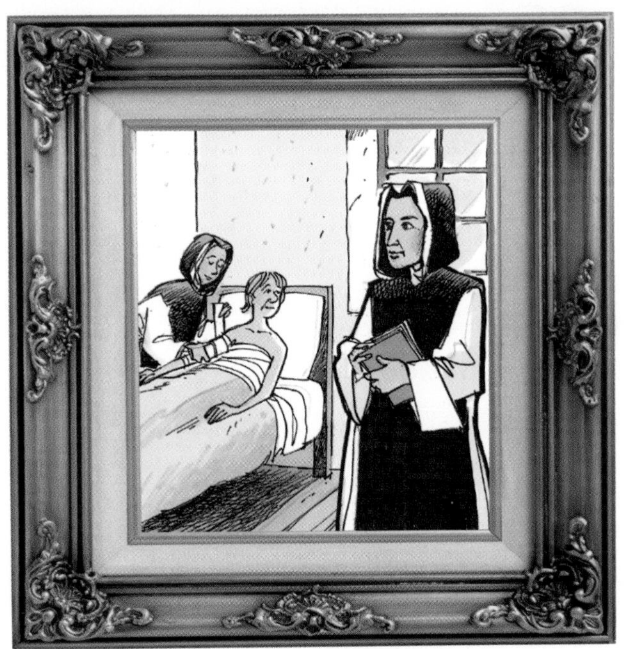

MARGUERITE D'YOUVILLE
(1701-1771)

Marie-Marguerite Dufrost est une Canadienne née à Varennes en 1701. Elle décide de consacrer sa vie aux pauvres et aux malades. Aussi, **en 1738, elle fonde une communauté religieuse** G : les Sœurs grises. Les premières années sont très difficiles. Le manque d'argent, la maladie, un incendie et de nombreux déménagements ont empêché Marguerite d'Youville et ses consœurs de développer leurs œuvres. Mais voilà qu'en 1747 le gouverneur de la Nouvelle-France la nomme, elle et sa communauté, responsable de l'Hôpital général de Montréal. Jusqu'à la fin de sa vie, en 1771, elle s'est dévouée à la population.

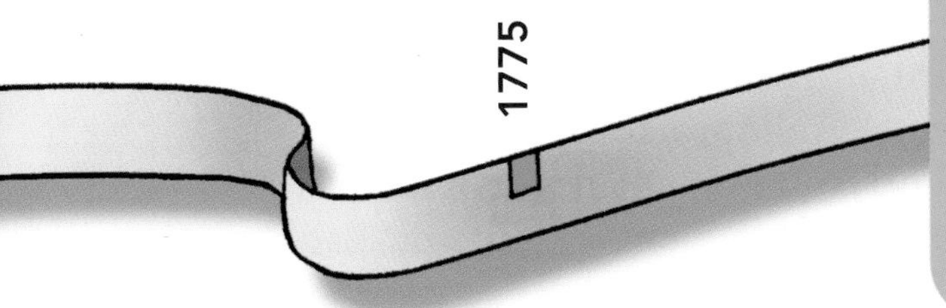

GILLES HOCQUART
(1694-1783)

Né en 1694, Gilles Hocquart devient **intendant de la Nouvelle-France en 1731** H. À cette époque, la population de la Nouvelle-France augmente considérablement. Pendant 19 ans, Hocquart voit au développement de nouvelles régions : Beauce, Richelieu, lac Champlain et Bas-Saint-Laurent. Il encourage la création d'industries. Il s'occupe aussi de la construction d'une route entre Québec et Montréal, le *chemin du roi*.

DES FEMMES D'AFFAIRES

- **Marie-Charlotte Denys de La Ronde, l'épouse du gouverneur de Montréal Claude de Ramezay, dirige une scierie, une briqueterie et une tuilerie. Sa fille, Louise, est propriétaire de scieries, d'un moulin et d'une tannerie à Montréal.**
- **Marie-Anne Barbel s'occupe d'un magasin à la place du marché à Québec. Elle exploite des postes de traite et possède des propriétés à Québec et à la campagne.**

Des villages amérindiens

Certains Amérindiens changent leur mode de vie au contact des Canadiens en Nouvelle-France. On dit de ces Amérindiens qu'ils sont «domiciliés» et «canadianisés».

Des Amérindiens domiciliés

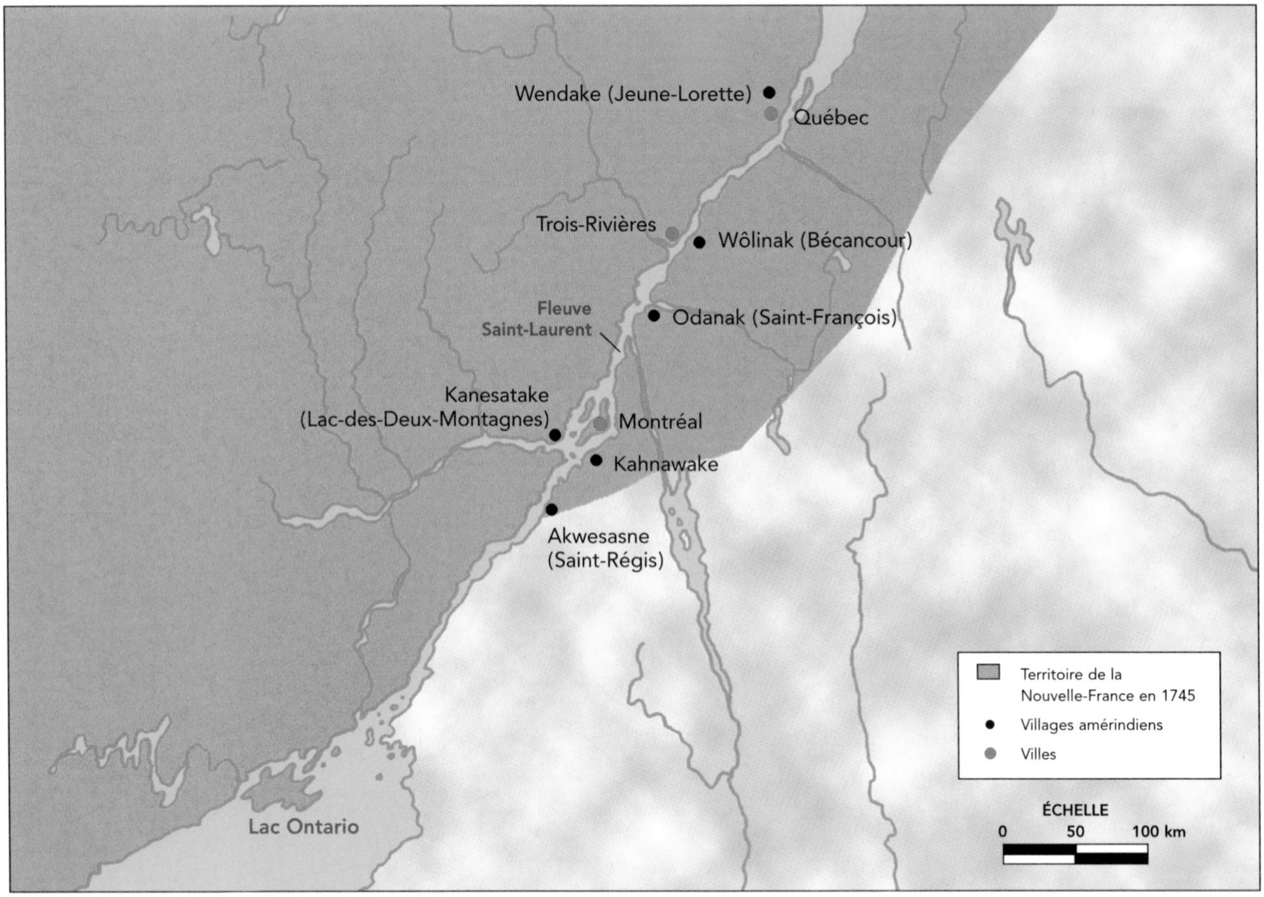

Les villages des Amérindiens domiciliés vers 1745.

On dit que les Amérindiens sont domiciliés, car ils n'ont plus l'intention de changer l'emplacement de leur village. Les premiers qui s'installent pour de bon dans la vallée du Saint-Laurent sont les Hurons. On est en 1697 à Wendake. À la même époque, des Iroquois s'installent à Kahnawake, Kanesatake et Akwesasne. Des Abénakis établissent leurs villages à Odanak et Wôlinak. Enfin, des Algonquins se regroupent à Pointe-du-Lac, près de Trois-Rivières.

Des Amérindiens qui se «canadianisent»

En se «canadianisant», les Amérindiens subissent des influences des Canadiens et changent différents aspects de leur mode de vie. Certains deviennent catholiques. Des missionnaires vivent d'ailleurs parmi eux. Dans quelques villages, les Amérindiens se sont mis à parler français, à s'habiller comme les Canadiens et à élever des bêtes. Ils se déplacent à bord de carrioles tirées par des chevaux. Ils délaissent leurs habitations traditionnelles pour adopter des maisons semblables à celles des colons. Ils utilisent des objets européens. Il y a de plus en plus de mariages entre Amérindiens et Canadiens.

Malgré ces changements, les Amérindiens se considèrent toujours comme différents des Canadiens. Par exemple, ils se regroupent en «bandes» et se désignent des chefs. De plus, durant plusieurs semaines ou plusieurs mois par année, des familles complètes quittent le village pour aller s'installer sur leur territoire de chasse.

Des Amérindiens unis

Une fois installés dans la vallée du Saint-Laurent vers la fin du 17e siècle, les Amérindiens domiciliés forment une alliance nommée «la fédération des Sept Nations» ou «la fédération des Sept Feux». Leurs rencontres ont lieu à Kahnawake. Même s'ils sont unis, chaque village conserve son autonomie.

Quelles sont les influences des Amérindiens?

Au fil du temps, les Canadiens subissent des influences des Amérindiens. Ils adoptent certains de leurs produits (courge, maïs, haricot, tabac et sève d'érable pour en faire du sirop). Ils se mettent à coudre des vêtements de peaux semblables à ceux des Amérindiens et à se déplacer à l'aide de raquettes ou de canots. Ils apprennent certaines de leurs techniques de chasse et de pêche. Les Canadiens changent même leur manière d'élever les enfants, les Amérindiens étant beaucoup moins sévères qu'eux.

Faire ses courses au marché de Montréal

L'illustration ci-contre montre la grande activité qui régnait au marché de Montréal. On est en 1749. Le marché se tient le mardi et le vendredi de chaque semaine sur la place publique.

Amuse-toi à trouver les éléments suivants dans l'illustration.

Des lieux

1. La boutique du cordonnier.
2. L'auberge où l'on sert à boire.

Des objets

3. La balance utilisée pour peser les légumes.
4. La perche et les câbles servant à nettoyer les puits.
5. Un des sabots d'une femme.
6. L'échelle qui permet d'aller nettoyer la cheminée.
7. Le chapeau de feutre du cavalier.
8. Des balais.
9. Un tonneau.
10. Une brouette.

Des personnes

11. L'Amérindienne qui vient vendre ses paniers.
12. L'officier qui tente de faire taire les gens au son du tambour.
13. L'esclave noir d'un riche personnage.
14. Une fillette.
15. Les deux jeunes mendiants.
16. Le seigneur qui se prépare à lire un message.

Auriez-vous vécu en Nouvelle-France ?

Attention, n'écris pas dans ton livre !

Imaginez que vous remontiez dans le temps
jusqu'à l'époque de la Nouvelle-France.
Qu'auriez-vous fait dans ce coin de pays au climat difficile ?
Complétez les phrases suivantes pour vérifier vos aptitudes
à incarner les rôles de certaines personnes.

Chasseurs de castor

1 **Pour trouver du castor en abondance...**

a) nous explorons les quatre coins du territoire.

b) nous consultons une carte géographique.

c) nous nous cachons à l'orée des bois.

2 **Pour chasser le castor sous la glace, nous utilisons...**

a) un filet.

b) un poisson qui sert d'appât.

c) une lance.

Pionniers

3 **À notre arrivée en Nouvelle-France, on nous a confié un bout de terre. Aussitôt...**

a) nous avons coupé des arbres pour nous y installer.

b) nous avons semé quelques graines.

c) nous avons fait venir un troupeau de moutons de France.

4 **Pour travailler la terre, nous avons utilisé...**

a) quelques outils.

b) un attelage de chiens.

c) une charrue motorisée.

Tonneliers

5 **En Nouvelle-France, nous pratiquons notre métier, c'est-à-dire que...**

a) nous fabriquons et réparons des tonneaux.

b) grâce à notre force, nous soulevons des objets pesant une tonne.

c) nous produisons du vin.

6 **Le tonneau sert à...**

a) conserver les aliments solides et liquides.

b) cacher les voyageurs clandestins à bord des navires.

c) prendre un bain.

MARCHANDS

7 Nous participons à la traite des fourrures. Nous cherchons surtout...

a) le «castor gras».

b) l'orignal.

c) la mouffette.

8 En échange des fourrures, nous remettons aux Amérindiens...

a) des objets en métal.

b) de la tarte aux pommes.

c) une potion pour guérir le scorbut.

RELIGIEUX

9 Nous, les Ursulines, sommes venues en Nouvelle-France, entre autres, pour...

a) enseigner et faire adopter la religion catholique aux Amérindiens.

b) apprendre à chasser le castor.

c) aider Champlain à construire l'Habitation.

10 Les Jésuites accompagnent les explorateurs dans leurs expéditions...

a) parce qu'ils parlent plusieurs langues et peuvent agir comme interprètes entre Français et Amérindiens.

b) parce qu'ils prient pour éloigner le malheur.

c) parce qu'ils cuisinent bien.

FILLES DU ROI

11 Les filles du roi ont été envoyées ici par le roi de France pour...

a) fonder une famille et peupler le pays.

b) fonder une école.

c) venir en aide aux Amérindiennes.

12 En vue de trouver le meilleur mari, les filles du roi choisissent...

a) ceux qui possèdent déjà une maison.

b) ceux qui mesurent plus de 1 m 80.

c) ceux qui sont les plus galants.

Réponses à la page 152.

Marie Dufour

La traversée des filles du roi

On est en 1670. Marie-Victoire Nault et son amie Marguerite de Lamare ont décidé de quitter la France pour la Nouvelle-France. Elles ont répondu à l'invitation du roi de France et se sont jointes à un groupe de filles du roi mené par Mlle Élisabeth Estienne.

C'est à la fois remplies d'espoir et de craintes qu'elles s'embarquent pour la Nouvelle-France.

•

— Bois ceci, mon enfant, cette potion te fera le plus grand bien.

Mlle Estienne était penchée au-dessus de Marguerite de Lamare, dont le corps était secoué de tremblements. Marie-Victoire fut aussitôt à ses côtés.

— Je vais la soutenir.

— Merci, souffla Élisabeth, avec toutes ces filles qui souffrent du mal de mer, je ne sais plus à quel saint me vouer !

Dans l'entrepont surpeuplé, la chaleur accentuait la puanteur déjà existante.

— Toutes ces vomissures sur le plancher me font craindre une épidémie, ajouta-t-elle.

Marie-Victoire ne dit mot, cherchant une issue à ce cauchemar.

Depuis deux mois, le navire voguait sur l'océan.

Au début de la traversée, la jeune fille avait été un peu incommodée par le roulis du bateau. Mais ce n'était rien, comparé à Marguerite, prise du mal de mer, quelques jours à peine après le départ de La Rochelle.

— Soutiens-la bien ! s'exclama Élisabeth, qui faisait glisser entre les lèvres asséchées un liquide blanchâtre.

Marie-Victoire obéit, cherchant tant bien que mal à garder entre ses bras le corps alourdi de sa meilleure amie.

— C'est un remède que m'a recommandé une femme amérindienne. Une tisane de feuilles de saule et d'écorce de genévrier. C'est, paraît-il, miraculeux contre les maux d'estomac.

Marie-Victoire examina le visage pâle de sa compagne, craignant le pire.

— Va-t-elle…

— Non, non, non, s'empressa de la rassurer Élisabeth. Elle s'en sortira. La Nouvelle-France n'est plus qu'à quelques semaines de navigation. Ce n'est qu'un mauvais coup du sort.

Elle fit une pause avant d'enchaîner:

— Une bien mauvaise tempête que celle d'hier…

— L'entrepont a été mis sens dessus dessous.

Élisabeth Estienne posa le gobelet par terre et émit un petit rire nerveux.

— Ce n'est pas la première fois que l'entrepont d'un navire se transforme ainsi. Crois-moi ! J'en ai vu des pires en trois ans. Et je peux t'affirmer que cette traversée est, de mémoire, une des plus paisibles.

Elle jeta un regard en coin vers la jeune fille amaigrie.

— Tu croyais peut-être que la liaison entre la France et l'Amérique était plus facile ? Pourtant, tu verras qu'au port de Québec, il en arrive des navires ! De partout ! De France avec des tonneaux de vin, des tissus, des marmites de cuivre et du courrier. Des Antilles avec des cargaisons de mélasse, du rhum, des noix de cajou…

Elle se pencha vers la jeune fille et baissa un peu plus le ton :

— Il y a aussi les bateaux des pirates qui croisent non loin des côtes.

Marie-Victoire posa un regard admiratif sur le visage de cette femme qui veillait si bien sur ses protégées.

— Mais pour l'instant, continuait-elle, il faut s'occuper de cette cargaison, et j'ai bien l'intention de la mener à bon port. Ces orphelines sont comme mes enfants. Je veux qu'on les respecte et qu'on les aime.

***

Le soleil de cet après-midi de juillet faisait miroiter les eaux du Saint-Laurent. Les filles du roi regardaient défiler les côtes bordées de forêts denses où les verts tendres des feuillus se mariaient à ceux, plus foncés, des conifères géants.

— Là-bas ! Regardez ! s'écria Jeanne Rossignol, en pointant une falaise sur laquelle se dressaient plusieurs habitations.

— Québec ! Enfin ! s'écria Marguerite de Lamare.

— Que c'est beau ! souffla Marie-Victoire.

Le voyage avait été très éprouvant pour la plupart des orphelines. Marguerite était amaigrie, et beaucoup de filles gardaient, au fond de l'estomac, un malaise indéfinissable. Marie-Victoire avait bien survécu aux difficultés de la traversée. Elle avait tellement pris soin de ses compagnes qu'elle en avait oublié ses malaises personnels.

— Mesdemoiselles, commença Élisabeth Estienne, votre vrai voyage commence ici. Les hommes de ce pays attendent votre arrivée depuis près de trois mois. Ils espèrent découvrir en vous une compagne qui saura les écouter, les réconforter, panser leurs blessures et, peut-être, les aimer…

Un silence lourd d'attentes et d'appréhensions plana un moment au-dessus de la foule de jeunes filles.

Marie-Victoire fixa la plage de galets que l'eau du fleuve venait lécher à intervalles réguliers. Elle y vit des hommes, de tous les âges et de toutes les tailles. La plupart d'entre eux étaient vêtus d'un pourpoint orné d'un rabat, d'un haut-de-chausses gris et d'un chapeau de feutre garni de rubans.

Tous ces visages tendus vers le navire, ces regards curieux, ces sourires…

La jeune fille chercha des yeux Élisabeth Estienne. Elle la vit, debout à tribord. Elle posait sur la ville de Québec un regard si radieux que Marie-Victoire comprit qu'elle n'avait rien à craindre.

— Parés à jeter l'ancre ! ordonna le capitaine.

Le bruit des chaînes, suivi de la chute de l'ancre, les rendit fébriles pendant que, de la berge, des vivats et des hourras s'élevaient.

— Mesdemoiselles, annonça Élisabeth Estienne, un sourire aux lèvres, bienvenue en Nouvelle-France !

Josée Ouimet, extrait de *Le secret de Marie-Victoire*,
Montréal, Éditions Hurtubise HMH, 2000,
p. 49-59. (Coll. Atout histoire)

Née à Paris, Mlle Élisabeth Estienne était «accompagnatrice» des filles du roi durant les traversées de 1670 et 1671. Elle a assisté à leur mariage et a vu à faciliter leur installation en Nouvelle-France. Selon une lettre écrite par l'intendant Jean Talon, elle aurait signé 52 contrats de mariage en Nouvelle-France en 1670.

PARTIE 2

Les outils

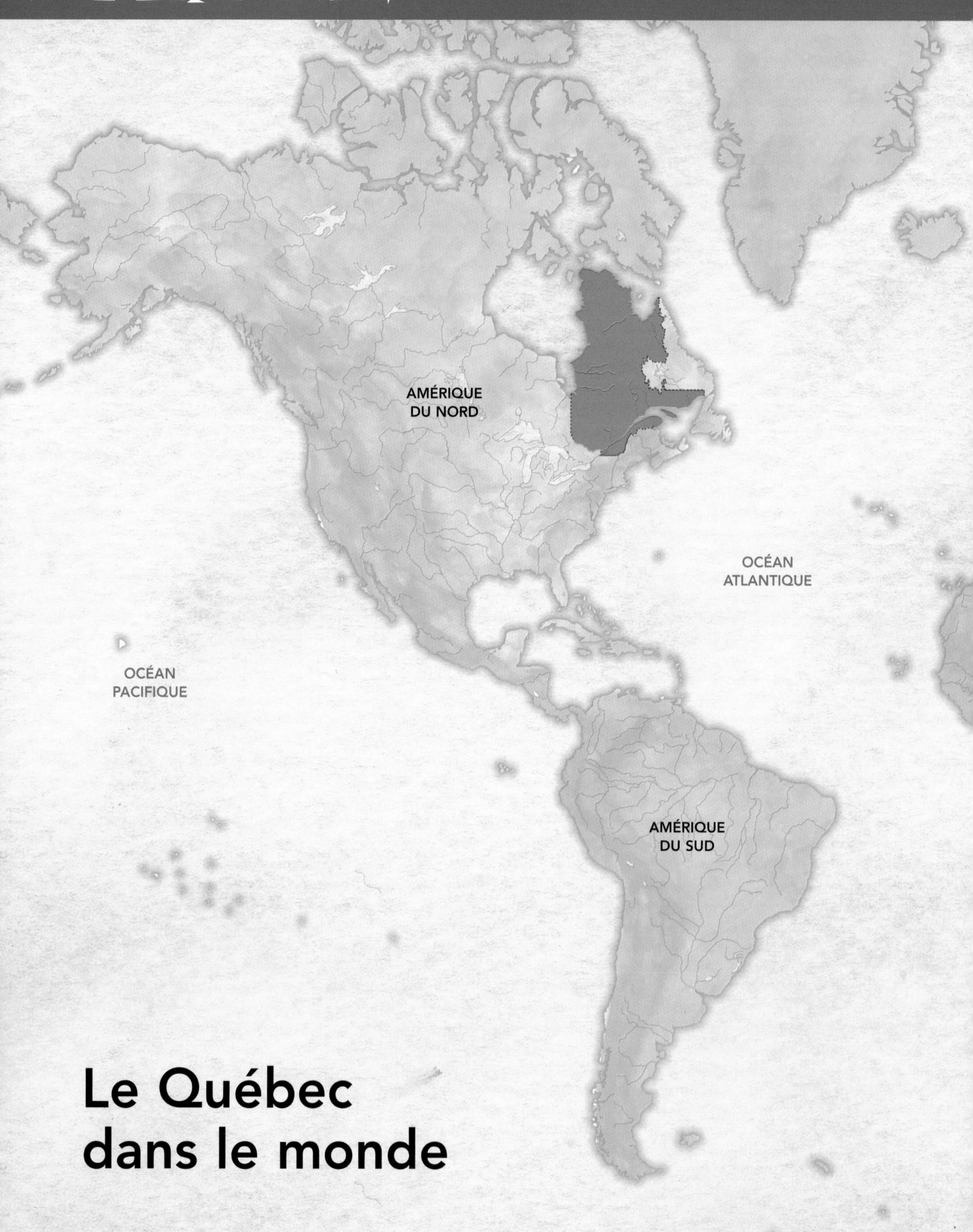

Le Québec dans le monde

OCÉAN
ARCTIQUE
ASIE
ROPE
OCÉAN
PACIFIQUE
AFRIQUE
OCÉANIE
OCÉAN
INDIEN
N
NO
NE
O
E
SO
SE
S
ANTARCTIQUE

REPRÉSENTATION DE LA TERRE : LE GLOBE

Les continents et les océans

La Terre est une sphère. C'est pourquoi on la représente par un globe terrestre.

On l'appelle «la planète bleue», car environ les deux tiers de sa superficie sont occupés par les océans. Le reste (environ un tiers) correspond à la superficie des continents.

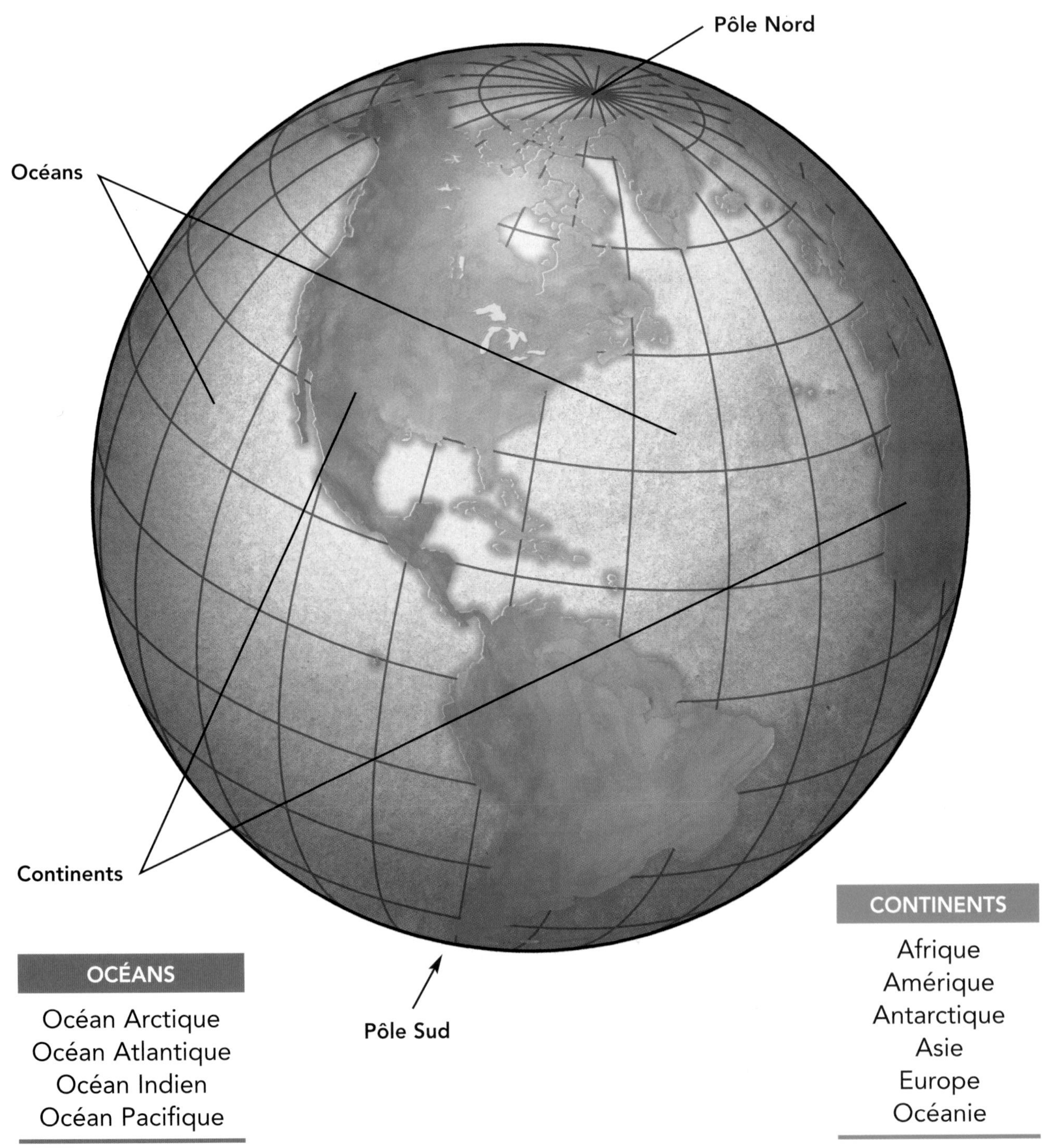

OCÉANS
Océan Arctique
Océan Atlantique
Océan Indien
Océan Pacifique

CONTINENTS
Afrique
Amérique
Antarctique
Asie
Europe
Océanie

Les méridiens, les parallèles et les hémisphères

Pour indiquer la position exacte d'un lieu, les géographes ont imaginé que le globe était traversé de lignes verticales, les méridiens, et de lignes horizontales, les parallèles.

On utilise ces lignes pour déterminer la distance, en degrés, d'un point sur la Terre par rapport à l'équateur et par rapport au méridien de Greenwich.

Les parallèles (de 0° à 90°) servent à établir la latitude du point, soit sa position Nord ou Sud. Les méridiens (de 0° à 180°) en donnent la longitude, soit la position Est ou Ouest.

Montréal, par exemple, est situé : au parallèle 45° Nord, au méridien 73° Ouest.

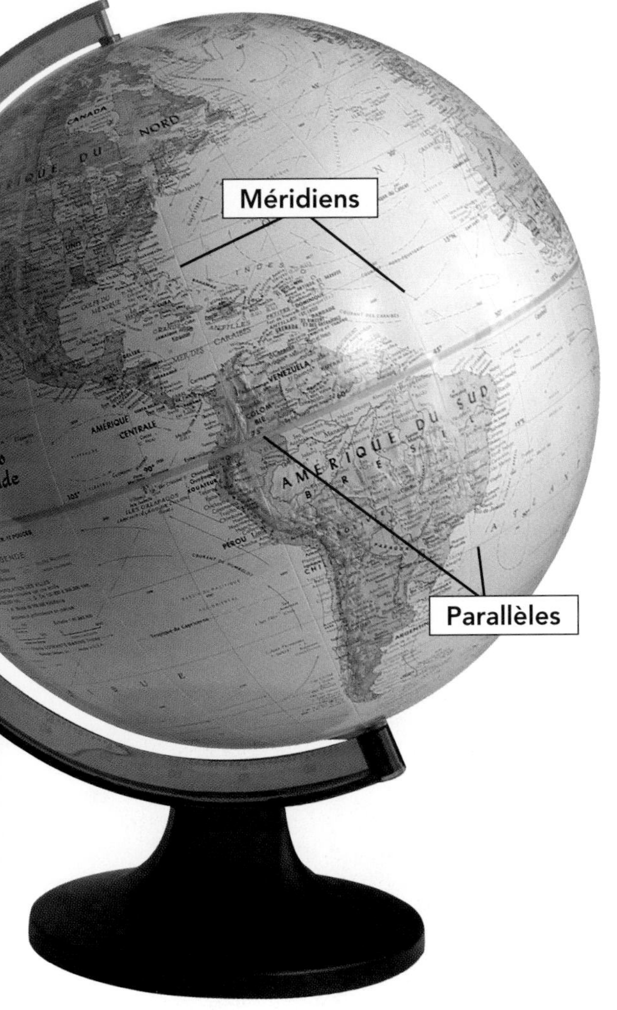

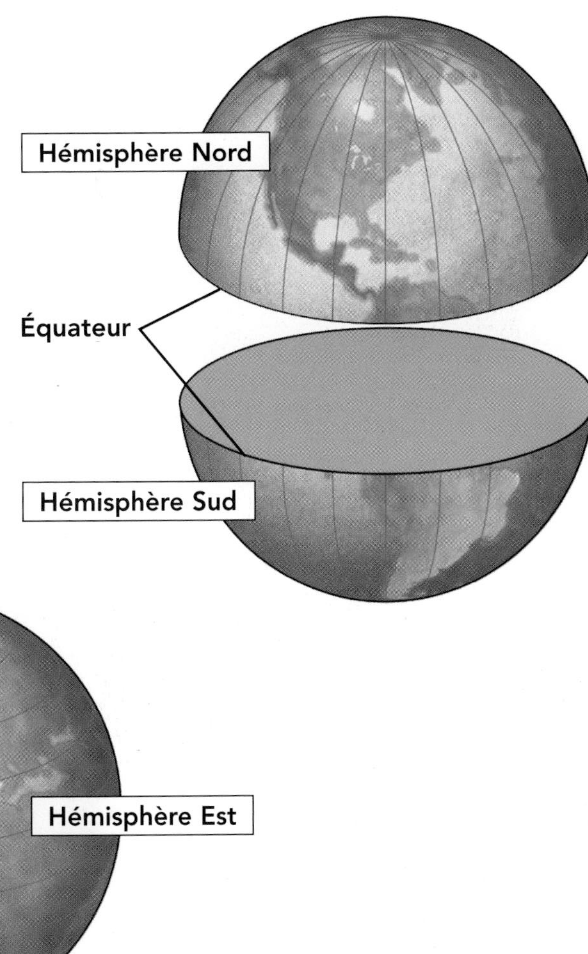

Méridien de Greenwich

Hémisphère Ouest

Hémisphère Est

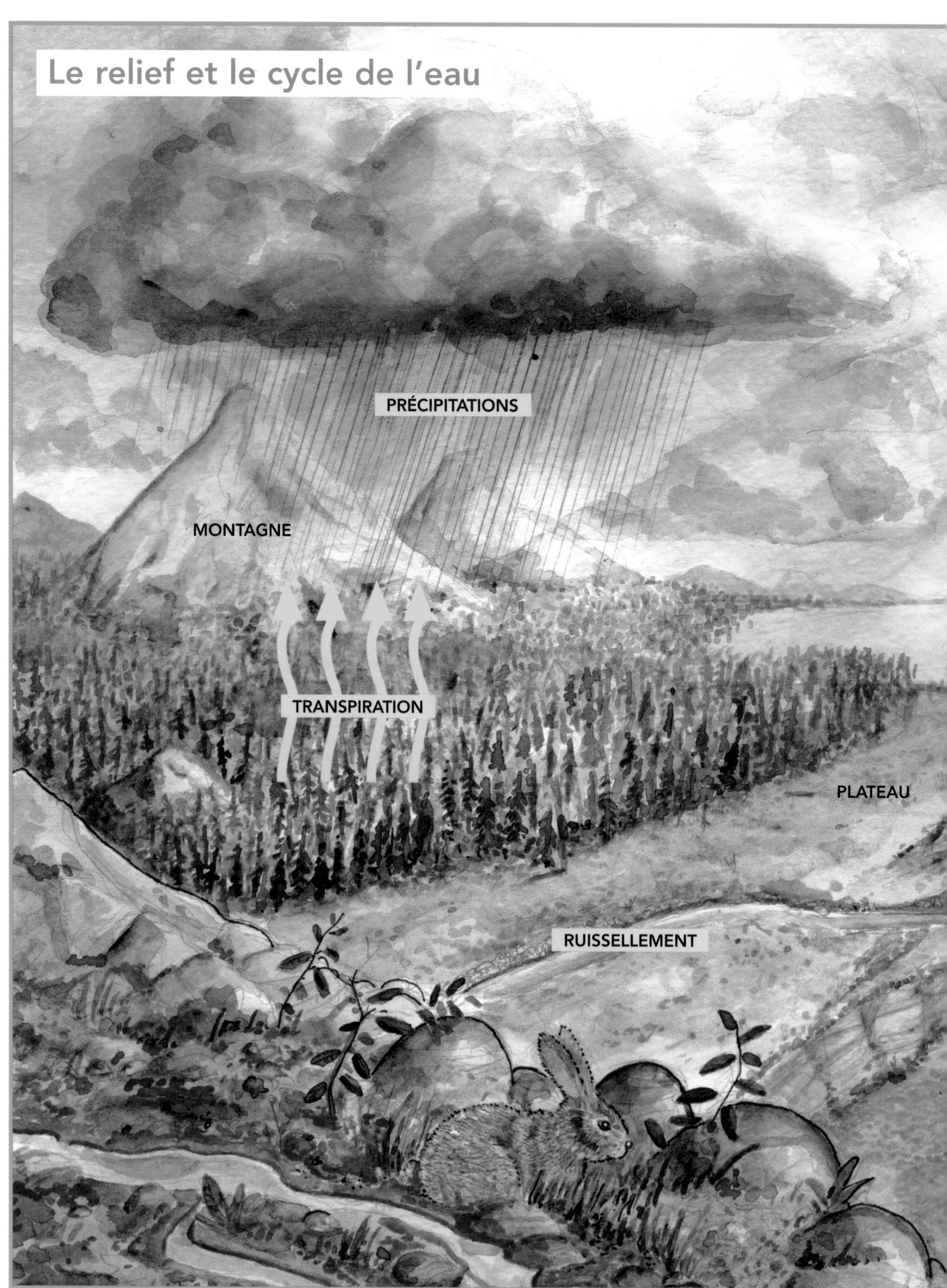
Le relief et le cycle de l'eau
PRÉCIPITATIONS
MONTAGNE
TRANSPIRATION
PLATEAU
RUISSELLEMENT

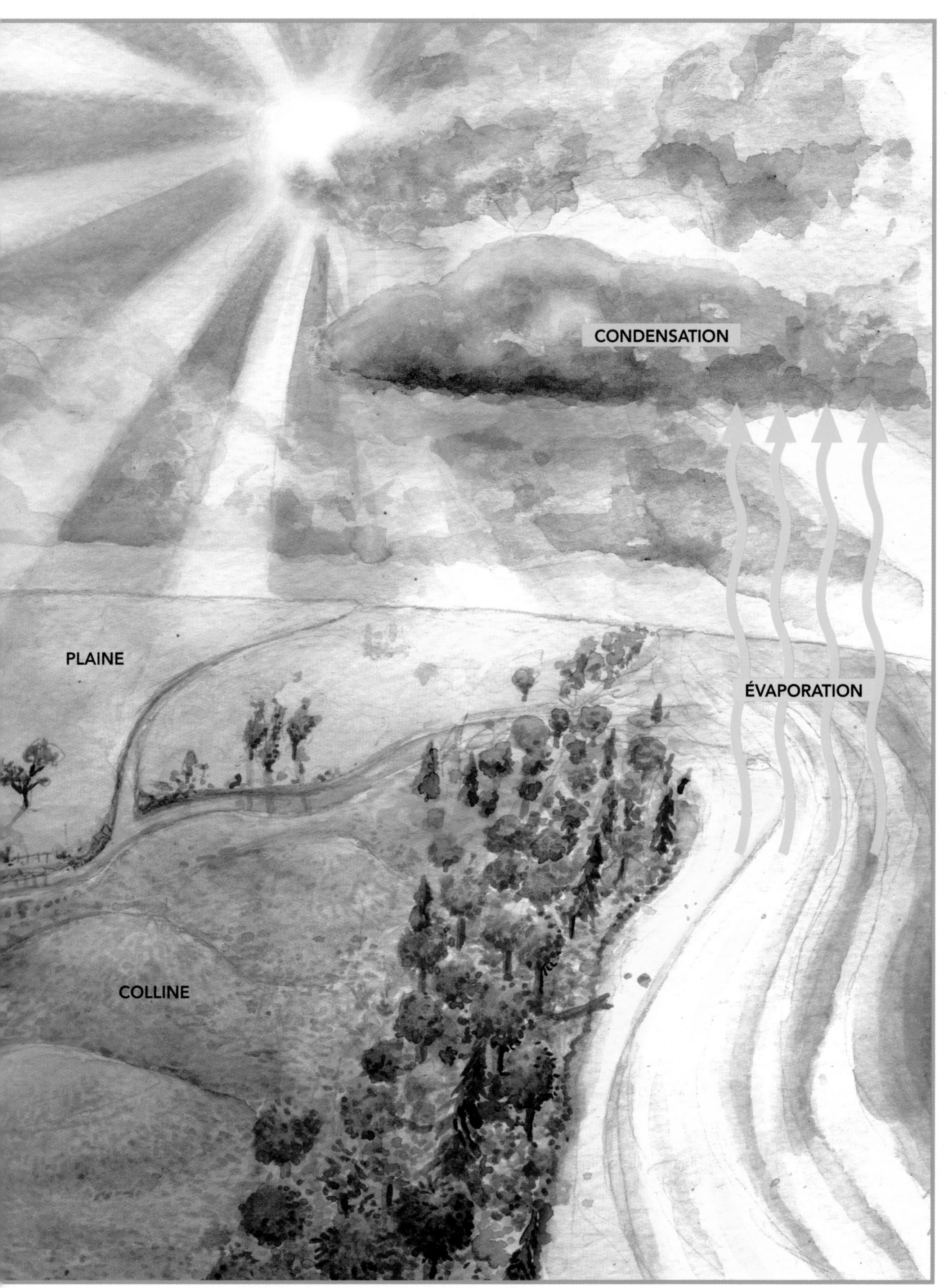
CONDENSATION
PLAINE
ÉVAPORATION
COLLINE

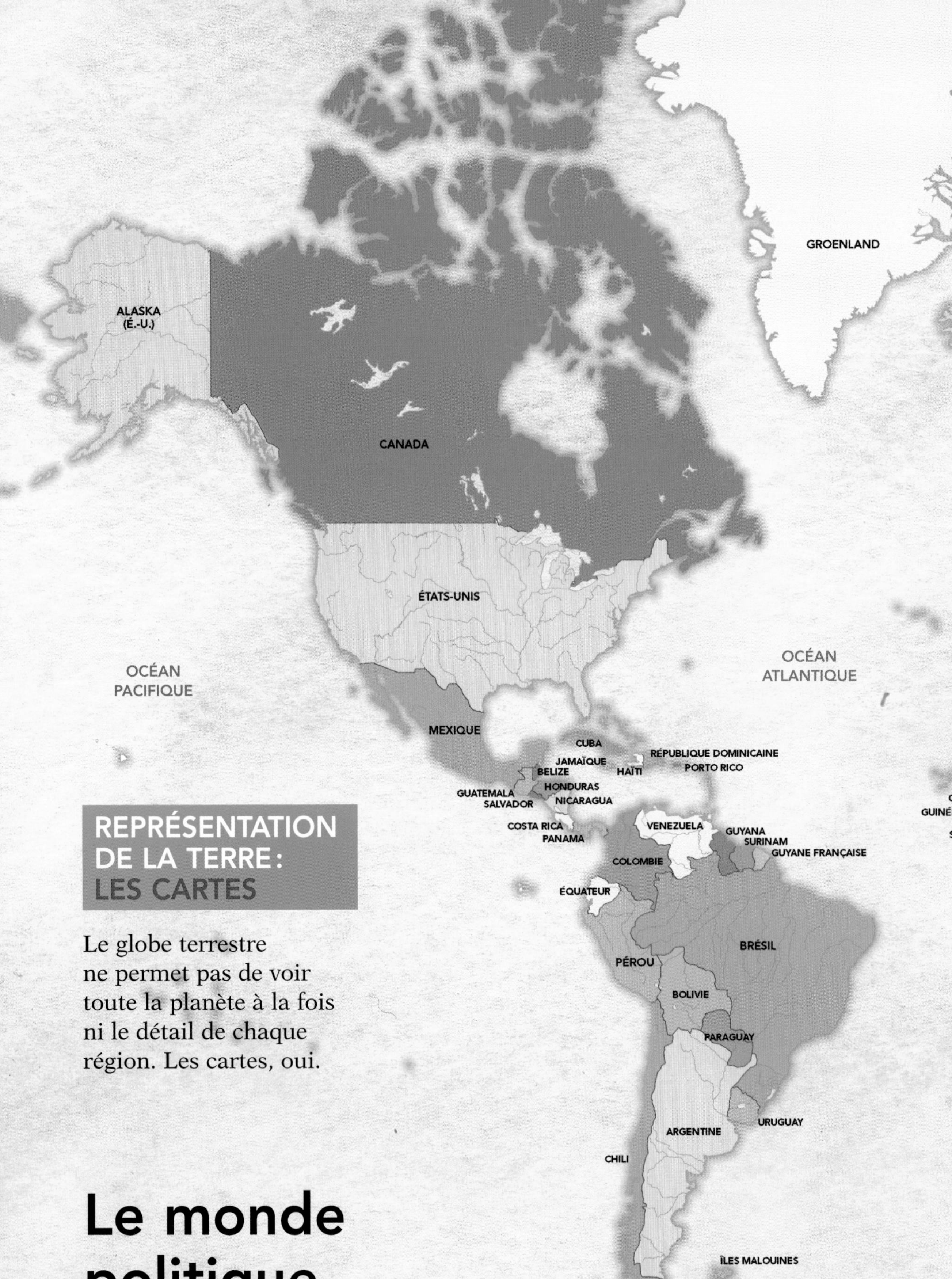

REPRÉSENTATION DE LA TERRE : LES CARTES

Le globe terrestre ne permet pas de voir toute la planète à la fois ni le détail de chaque région. Les cartes, oui.

Le monde politique

OCÉAN ARCTIQUE
SUÈDE
FINLANDE
RUSSIE
ESTONIE
LETTONIE
LITUANIE
BIÉLORUSSIE
POLOGNE
REP. TCHÈQUE
SLOVAQUIE
UKRAINE
MOLDAVIE
HONGRIE
ROUMANIE
CROATIE
BOSNIE-HERZÉGOVINE
SERBIE
MONTÉNÉGRO
BULGARIE
MACÉDOINE
ALBANIE
GRÈCE
TURQUIE
GÉORGIE
ARMÉNIE
AZERBAÏDJAN
KAZAKHSTAN
MONGOLIE
OUZBÉKISTAN
KIRGHIZISTAN
TURKMÉNISTAN
TADJIKISTAN
CHINE
CORÉE DU NORD
CORÉE DU SUD
JAPON
CHYPRE
LIBAN
ISRAËL
SYRIE
IRAK
IRAN
AFGHANISTAN
JORDANIE
PAKISTAN
NÉPAL
BHOUTAN
LIBYE
ÉGYPTE
KOWEÏT
QATAR
É.A.U.
ARABIE SAOUDITE
INDE
BANGLADESH
MYANMAR
LAOS
TAÏWAN
OCÉAN PACIFIQUE
OMAN
TCHAD
SOUDAN
ÉRYTHRÉE
YÉMEN
DJIBOUTI
SOMALIE
ÉTHIOPIE
THAÏLANDE
CAMBODGE
VIETNAM
PHILIPPINES
RÉPUBLIQUE CENTRAFRICAINE
SRI LANKA
BRUNEI
MALAISIE
OUGANDA
KENYA
RWANDA
RÉPUBLIQUE DÉMOCRATIQUE DU CONGO
BURUNDI
TANZANIE
INDONÉSIE
PAPOUASIE-NOUVELLE-GUINÉE
TIMOR-LESTE
OCÉAN INDIEN
ANGOLA
ZAMBIE
MOZAMBIQUE
MALAWI
ZIMBABWE
NAMIBIE
BOTSWANA
MADAGASCAR
AUSTRALIE
NOUVELLE-CALÉDONIE
SWAZILAND
AFRIQUE DU SUD
LESOTHO
NOUVELLE-ZÉLANDE

S'orienter : les points cardinaux et l'échelle d'une carte

Pour se repérer sur la Terre et sur les cartes, les géographes ont défini quatre grandes orientations que l'on appelle «points cardinaux» :

- l'EST, le côté du soleil levant;
- l'OUEST, le côté du soleil couchant;
- le NORD, le côté indiqué par l'étoile polaire et par l'aiguille d'une boussole;
- le SUD, le côté opposé au nord. (Dans l'hémisphère Nord, le soleil de midi indique le sud.)

L'échelle d'une carte indique le rapport entre la distance sur la carte et la distance sur le terrain.

Si l'espace représenté est grand, il s'agit d'une carte à **petite échelle** qui donne un **petit nombre de détails**.

Si l'espace représenté est petit, il s'agit d'une carte à **grande échelle** qui donne un **grand nombre de détails**.

CARTES À PETITE ÉCHELLE

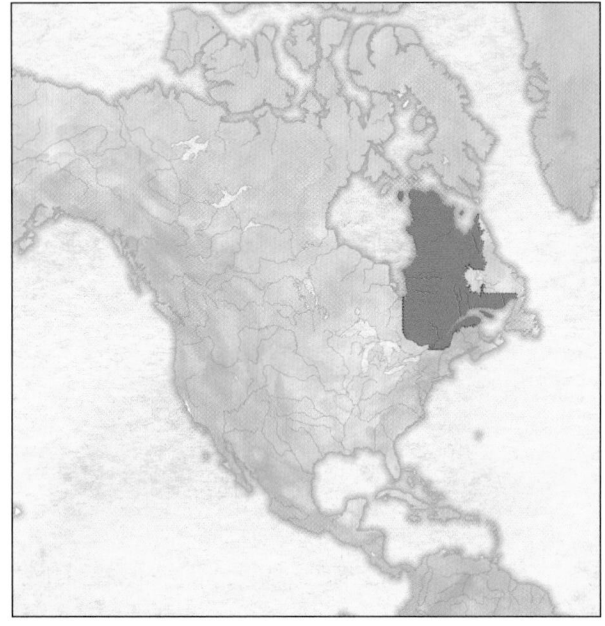

1 cm sur la carte correspond à **1035 km** sur le terrain.

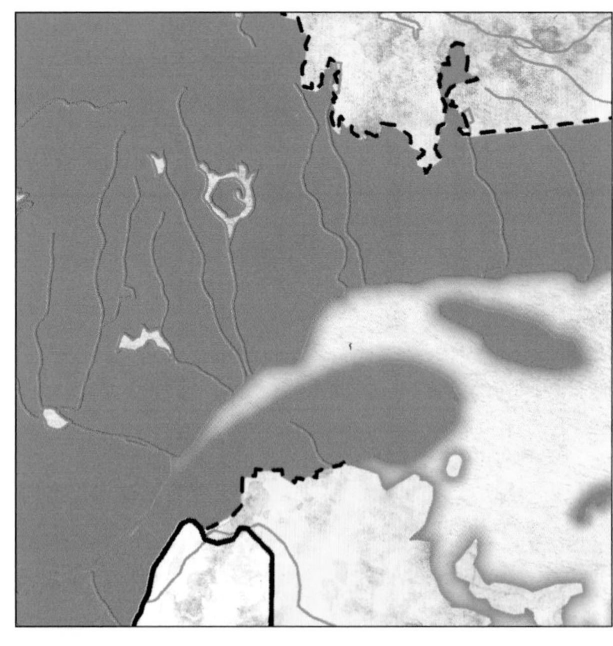

1 cm sur la carte correspond à **100 km** sur le terrain.

Par convention, on présente toujours le NORD vers le haut.

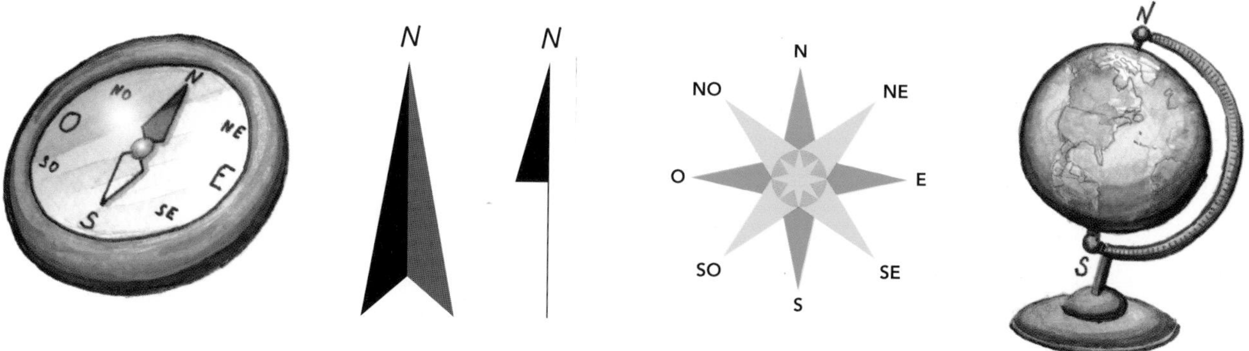

Donc, s'il n'y a pas d'indication précise sur la carte que tu consultes, le NORD est en haut.

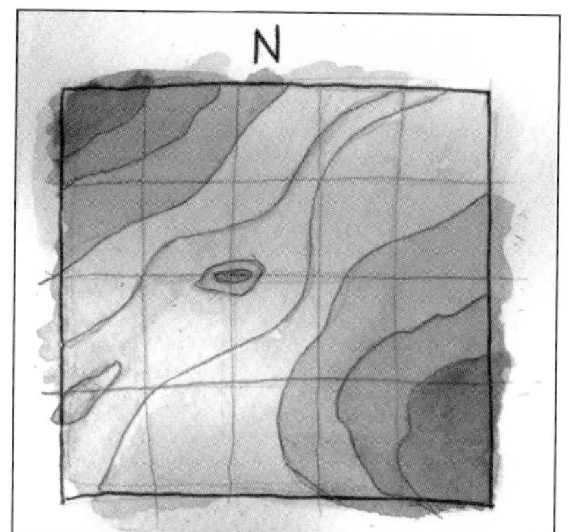

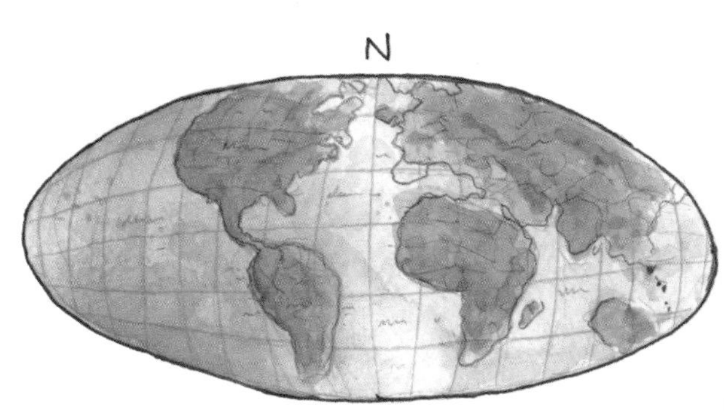

CARTES À GRANDE ÉCHELLE

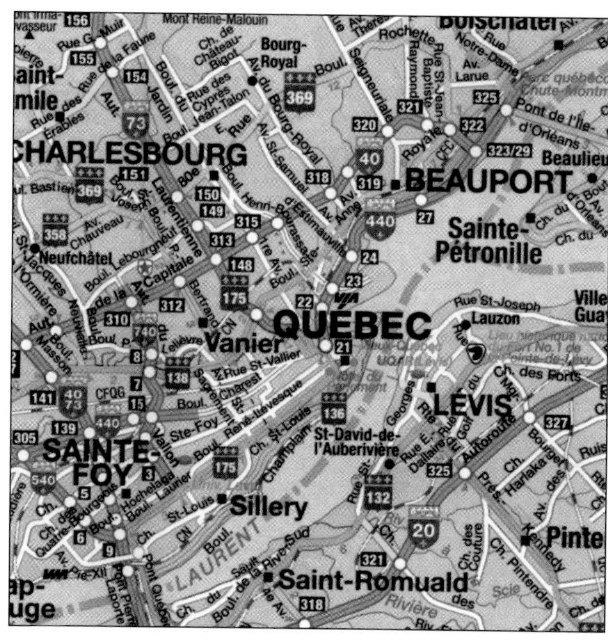

1 **cm** sur la carte correspond à **5 km** sur le terrain.

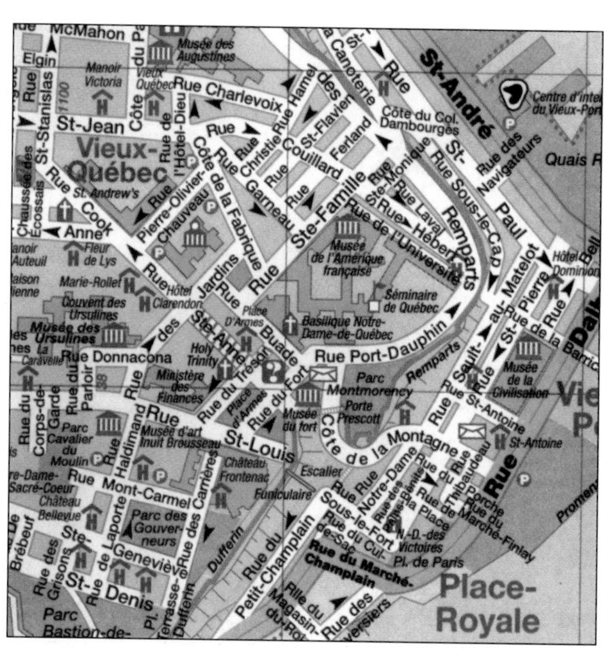

1 cm sur la carte correspond à **125 m** sur le terrain.

Comment utiliser l'échelle d'une carte

Pour mesurer la distance entre deux points indiqués sur une carte, tu peux utiliser l'échelle de la carte. Elle est souvent présentée de la façon suivante.

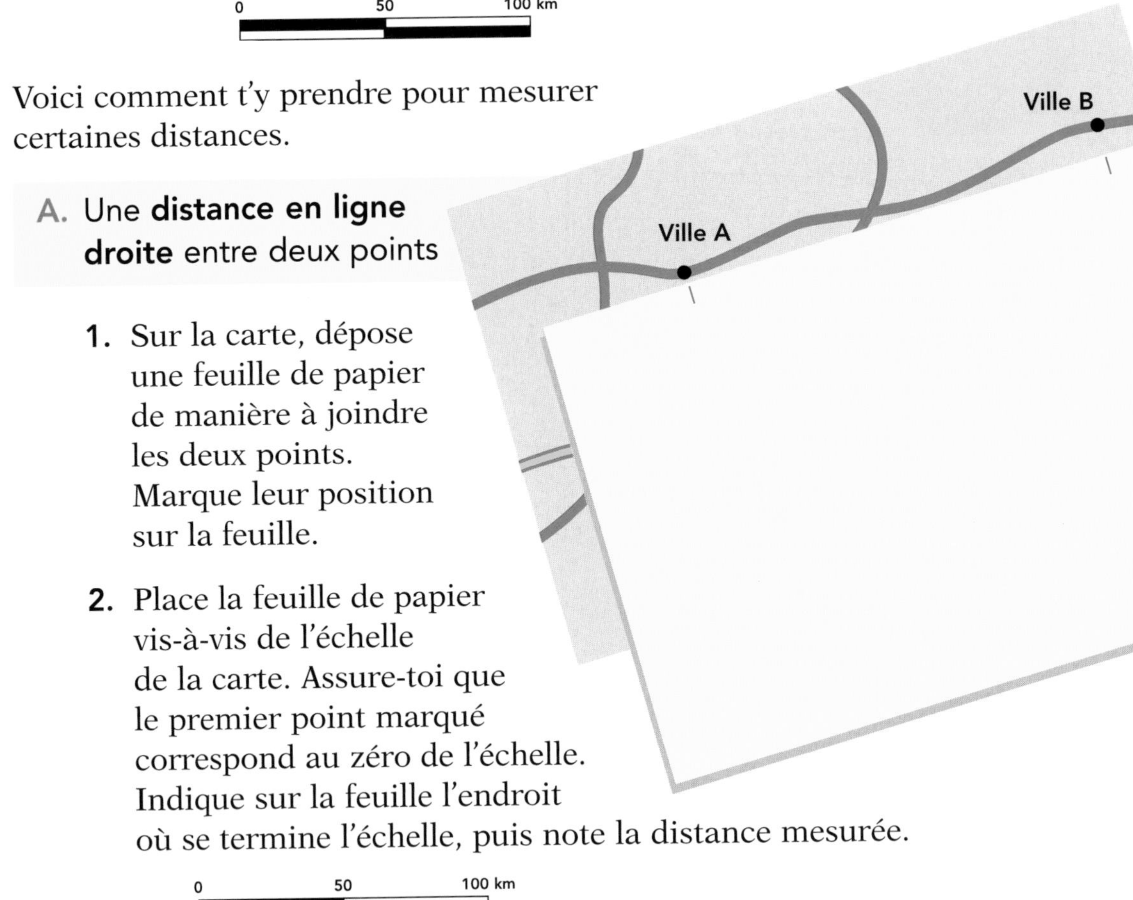

Voici comment t'y prendre pour mesurer certaines distances.

A. Une **distance en ligne droite** entre deux points

1. Sur la carte, dépose une feuille de papier de manière à joindre les deux points. Marque leur position sur la feuille.
2. Place la feuille de papier vis-à-vis de l'échelle de la carte. Assure-toi que le premier point marqué correspond au zéro de l'échelle. Indique sur la feuille l'endroit où se termine l'échelle, puis note la distance mesurée.

0 50 100 km

Ville A Ville B

3. Répète l'opération précédente autant de fois que cela est nécessaire.

Distance entre les villes A et B : 150 km

B. Une **distance qui n'est pas en ligne droite**

1. Suis le tracé de la route à l'aide d'un bout de ficelle.
2. Sur la ficelle, fais un trait pour indiquer le début du tracé à mesurer et un autre pour en marquer la fin.

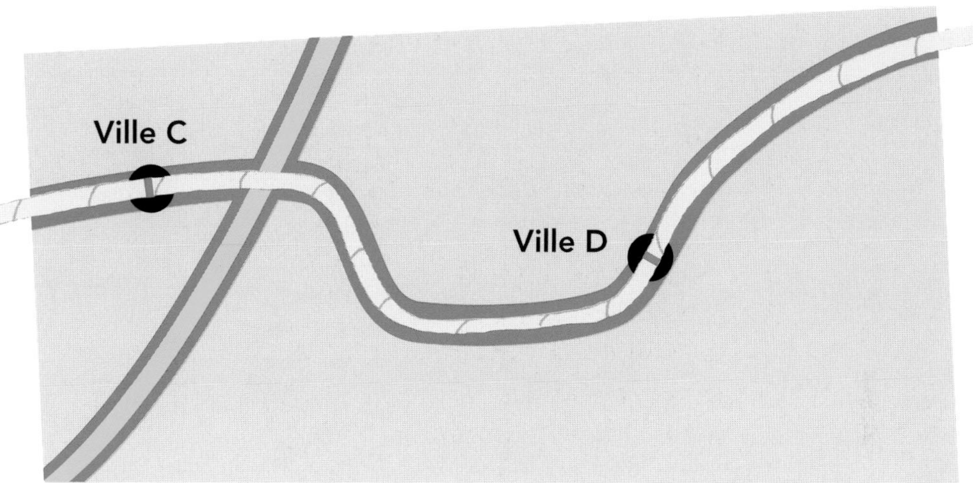

3. Utilise l'échelle pour déterminer la distance qui sépare les deux traits indiqués.

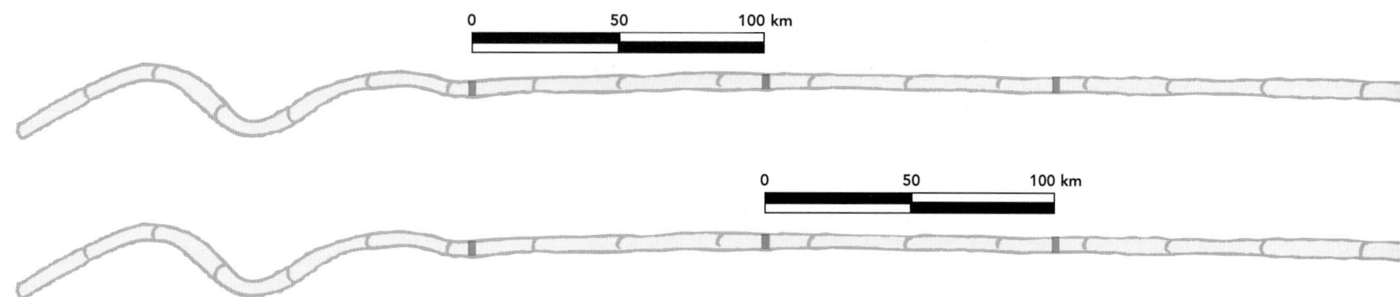

Distance entre les villes C et D : 200 km

Comment orienter une carte

Pour t'aider à consulter la carte d'une ville ou une carte routière, tu dois veiller à bien l'orienter. Prends, par exemple, la carte d'une ville et suis les directives ci-dessous.

1. Installe-toi à l'intersection de deux rues. Repère cette intersection sur la carte.
2. Place la carte de façon que l'une des deux rues soit dirigée dans le même sens que dans la réalité.
3. Vérifie si l'autre rue de l'intersection est dans le même sens que sur la carte. Si c'est le cas, ta carte est bien orientée.

Les forêts et la toundra du Québec

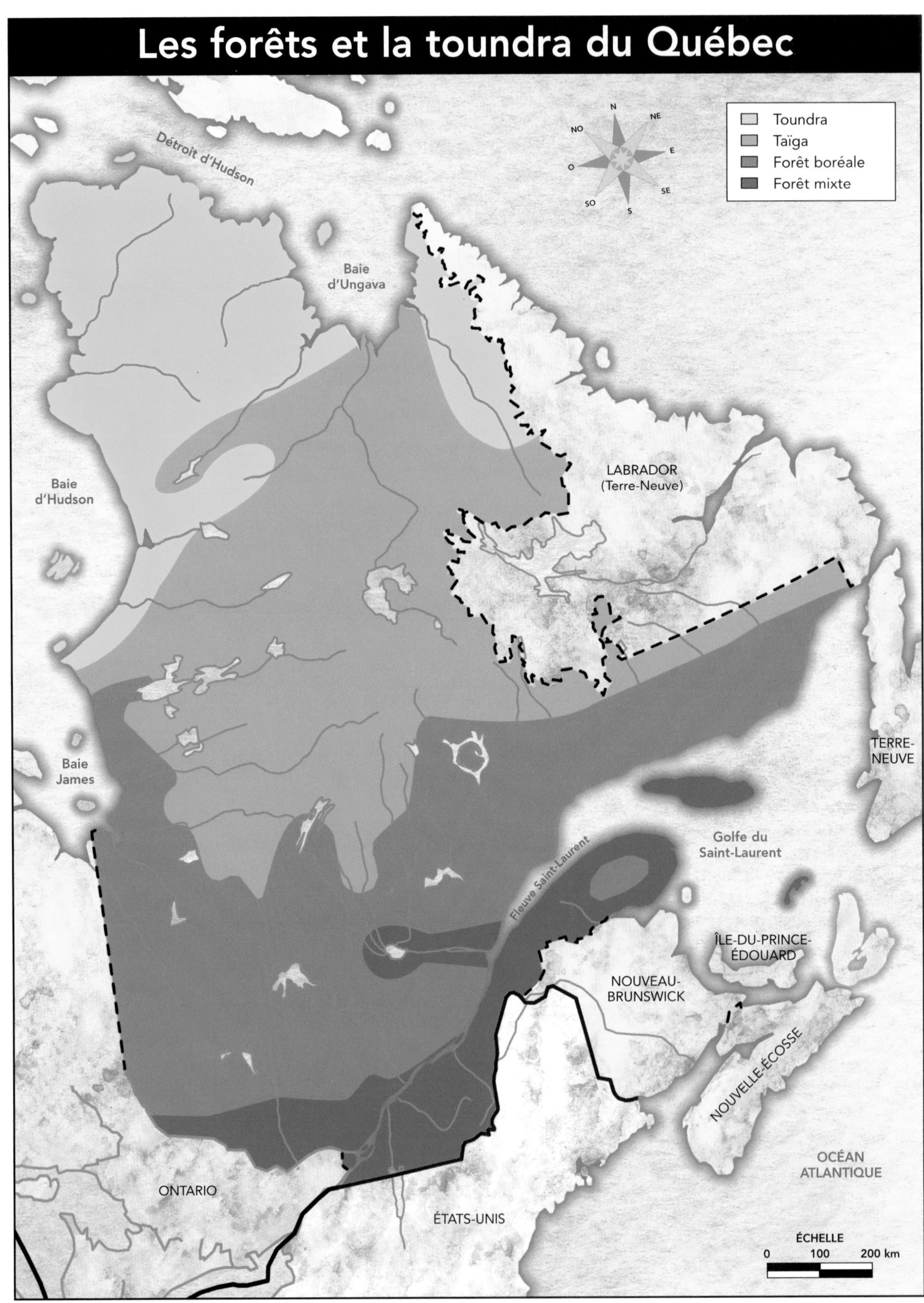

LA TOUNDRA

Description

Étendue sans arbres où il ne pousse que de la mousse, des herbes et des arbustes.

Atout ou CONTRAINTE

La toundra n'offre pas d'avantage, car le sol est gelé toute l'année et infertile.

LA TAÏGA

Description

Forêt surtout composée de conifères dispersés et de petite taille.

Atout ou CONTRAINTE

La taïga n'offre pas d'avantage, car le sol est gelé presque toute l'année et infertile.

LA FORÊT BORÉALE

Description

Forêt surtout composée de conifères. Les plus répandus sont l'épinette et le sapin.

ATOUT ou contrainte

La forêt boréale est une grande réserve de bois pour les industries de la construction et des pâtes et papiers.

LA FORÊT MIXTE

Description

Forêt composée d'un mélange de conifères et de feuillus.

ATOUT ou contrainte

La forêt mixte est une grande réserve de bois d'œuvre (construction, meubles, portes, fenêtres) et de bois pour les industries des pâtes et papiers. On y trouve des érablières à partir desquelles on fabrique les produits de l'érable.

Les climats du Québec

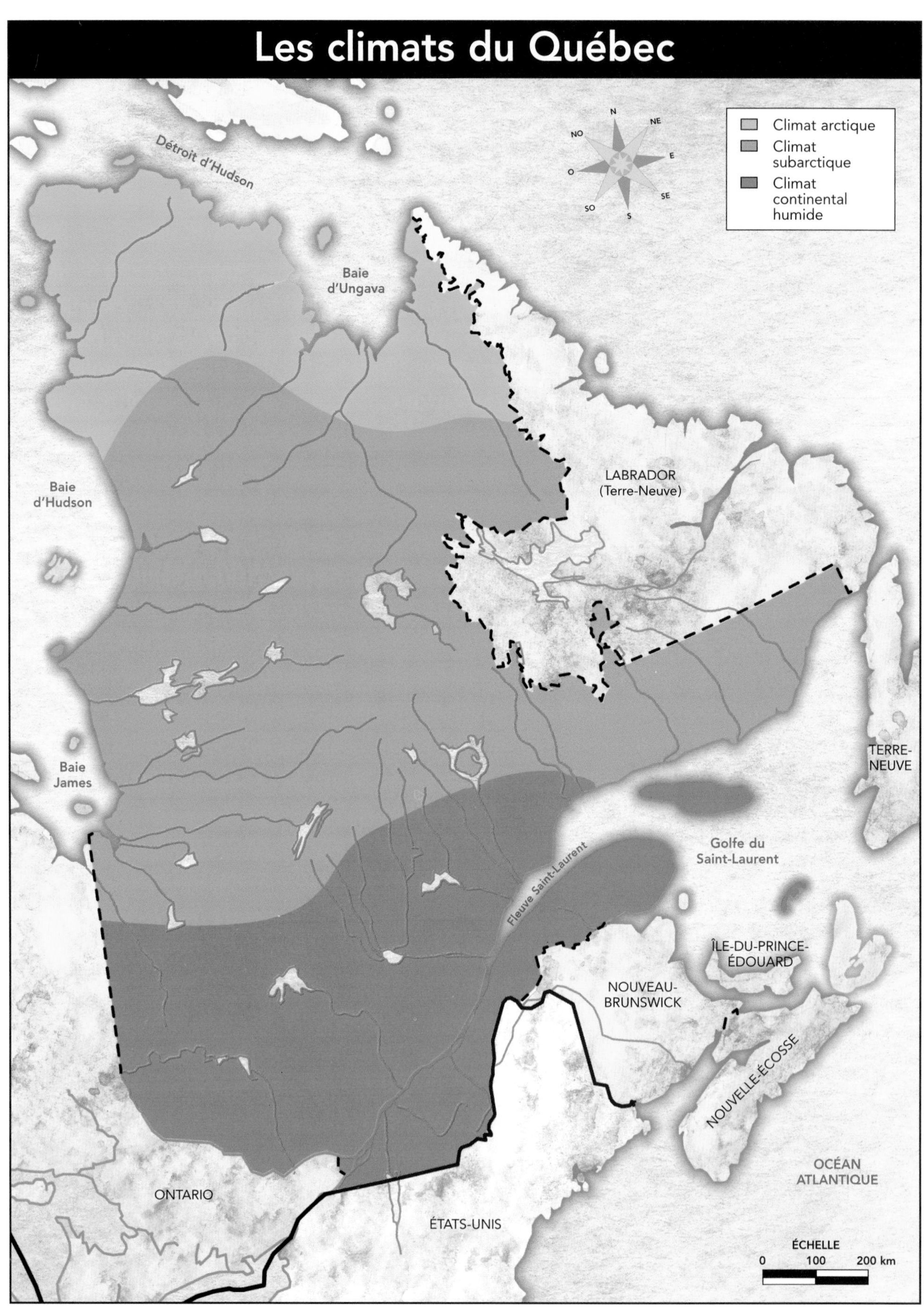

LE CLIMAT ARCTIQUE

Description

Il y a deux saisons : des hivers très longs (de 8 à 10 mois) et très froids, des étés courts et frais.

Atout ou CONTRAINTE

Les températures sont toujours basses, et il y a une très courte saison de dégel. Il est impossible de cultiver le sol.

LE CLIMAT SUBARCTIQUE

Description

Il y a deux saisons : des hivers très longs (de 6 à 8 mois) et très froids, des étés courts et frais.

Atout ou CONTRAINTE

Les températures sont basses. Le sol est mal drainé et est gelé une bonne partie de l'année. Les plantes croissent difficilement.

LE CLIMAT CONTINENTAL HUMIDE

Description

Il y a quatre saisons : les hivers durent environ 5 mois, et les étés sont chauds et humides.

ATOUT ou CONTRAINTE

Les précipitations sont abondantes. Le temps doux du printemps et de l'été favorise, entre autres, les activités agricoles et touristiques.

Les cours d'eau du Québec

LE RUISSEAU

Description

Petit cours d'eau recueillant l'eau de pluie ou de la fonte des neiges.

L'ÉTANG

Description

Étendue d'eau douce peu profonde. L'eau est souvent stagnante, c'est-à-dire qu'elle ne s'écoule pas.

ATOUT ou contrainte

On profite de la diversité des animaux et des plantes pour constituer des parcs autour des étangs.

LA RIVIÈRE

Description

Cours d'eau de moyenne importance formé par la rencontre de plusieurs ruisseaux.

ATOUT ou contrainte

Les rivières servent à produire de l'électricité et à approvisionner en eau les maisons, les usines, etc.

LE LAC

Description

Étendue d'eau plus ou moins importante, alimentée par l'eau des ruisseaux et des rivières.

ATOUT ou contrainte

Les eaux des lacs servent à alimenter les maisons, les industries, les fermes. On y pratique aussi des loisirs.

LE FLEUVE

Description

Cours d'eau important et puissant formé par la rencontre de plusieurs rivières.

ATOUT ou contrainte

Le fleuve Saint-Laurent est une voie de navigation importante. Plusieurs ports sont établis sur ses rives.

L'OCÉAN

Description

Vaste et imposante étendue d'eau salée qui couvre une grande partie de la Terre.

ATOUT ou contrainte

L'océan comprend une grande réserve de poissons. On y pratique la pêche commerciale.

Les formes de terrain

LA PLAINE

Description

Vaste étendue de terrain plat ou presque uniforme, c'est-à-dire avec très peu de creux et de bosses.

ATOUT ou contrainte

Les sols sont généralement fertiles. On y cultive des fruits et des légumes. On y pratique l'élevage. La plaine est généralement très peuplée, car on s'y déplace facilement.

LA COLLINE

Description

Petite élévation de terrain de forme arrondie.

ATOUT ou contrainte

Les pentes sont parfois transformées en pâturages ou en plantations d'arbres fruitiers. Les collines peuvent aussi être aménagées en parcs ou en pentes de ski.

LE PLATEAU

Description

Vaste étendue de terrain plat, plus élevée qu'une plaine, avec des pentes de chaque côté.

ATOUT ou CONTRAINTE

Le sol des plateaux est généralement peu fertile. Cependant, certaines forêts sont exploitées, et certaines étendues d'eau permettent de nombreux loisirs.

LA VALLÉE

Description

Étendue de terrain en forme de couloir où passe un cours d'eau. La vallée est peu profonde et plus étroite dans les plaines et plus en profondeur dans les plateaux.

ATOUT ou contrainte

Les larges vallées sont très peuplées. On y pratique beaucoup l'agriculture.

LA MONTAGNE

Description

Importante élévation de terrain avec de hauts sommets. Plusieurs montagnes qui se suivent sur une longue distance forment une chaîne de montagnes.

ATOUT ou contrainte

On y pratique la coupe de bois et on y fait de la randonnée.

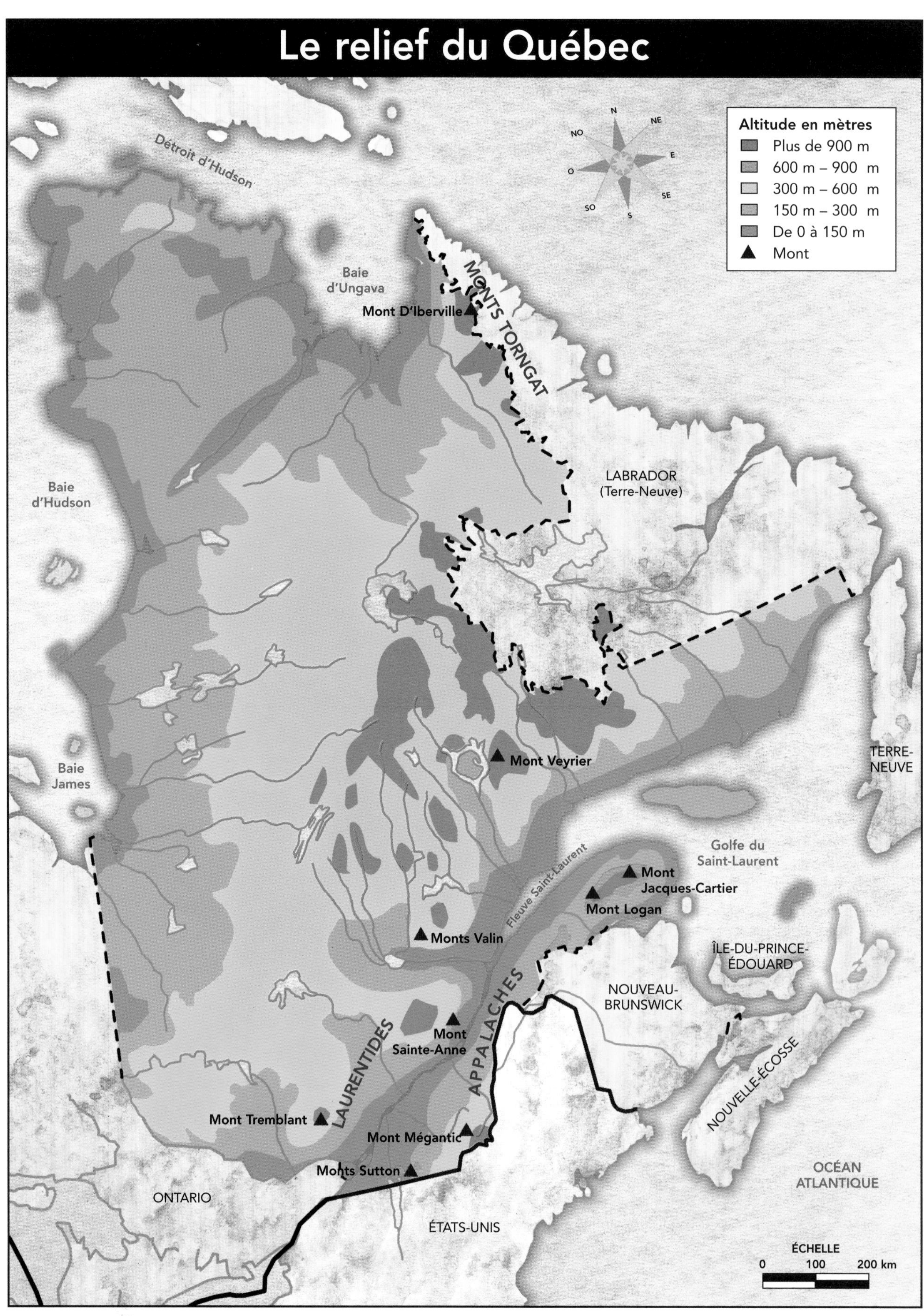

Le relief du Québec
Altitude en mètres
Plus de 900 m
600 m – 900 m
300 m – 600 m
150 m – 300 m
De 0 à 150 m
Mont
N
NE
NO
E
O
SE
SO
S
Détroit d'Hudson
Baie d'Ungava
MONTS TORNGAT
Mont D'Iberville
LABRADOR (Terre-Neuve)
Baie d'Hudson
Baie James
Mont Veyrier
TERRE-NEUVE
Golfe du Saint-Laurent
Mont Jacques-Cartier
Mont Logan
Fleuve Saint-Laurent
Monts Valin
ÎLE-DU-PRINCE-ÉDOUARD
NOUVEAU-BRUNSWICK
APPALACHES
LAURENTIDES
Mont Sainte-Anne
NOUVELLE-ÉCOSSE
Mont Tremblant
Mont Mégantic
Monts Sutton
OCÉAN ATLANTIQUE
ONTARIO
ÉTATS-UNIS
ÉCHELLE
0
100
200 km

Les régions naturelles du Québec

LE BOUCLIER CANADIEN

Description

Vaste plateau recouvert de forêts et constitué de bosses et de creux. Il est traversé au sud par de très vieilles montagnes aux formes arrondies : les Laurentides.

LES BASSES-TERRES DU SAINT-LAURENT

Description

Plaine étroite longeant le fleuve et dominée, dans la région de Montréal, par des collines isolées : les Montérégiennes.

LES APPALACHES

Description

Plateau formé d'une série de collines disposées en rangées et séparées par des vallées.

Les régions administratives du Québec

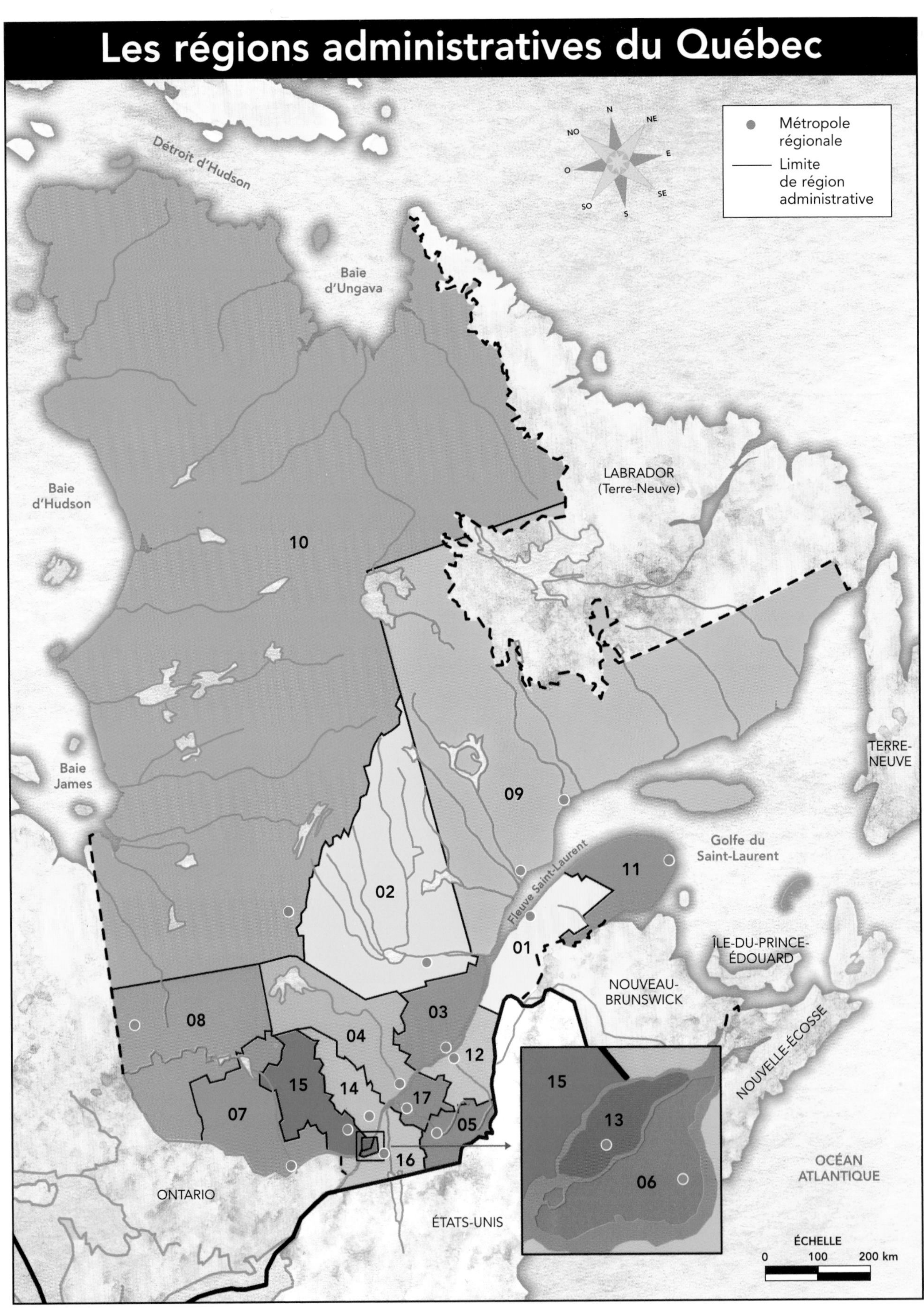

	Région administrative	Métropole régionale	Population (données de 2002*)
01	Bas-Saint-Laurent	Rimouski	201 497 hab.
02	Saguenay – Lac-Saint-Jean	Saguenay	282 709 hab.
03	Capitale-Nationale	Québec	650 457 hab.
04	Mauricie	Trois-Rivières	259 739 hab.
05	Estrie	Sherbrooke	292 495 hab.
06	Montréal	Montréal	1 852 578 hab.
07	Outaouais	Gatineau	326 904 hab.
08	Abitibi-Témiscamingue	Rouyn-Noranda	148 614 hab.
09	Côte-Nord	Baie-Comeau Sept-Îles	99 987 hab.
10	Nord-du-Québec	Chibougamau	39 631 hab.
11	Gaspésie – Îles-de-la-Madeleine	Gaspé	98 238 hab.
12	Chaudière-Appalaches	Lévis	390 786 hab.
13	Laval	Laval	359 165 hab.
14	Lanaudière	Joliette	403 322 hab.
15	Laurentides	Saint-Jérôme	484 815 hab.
16	Montérégie	Longueuil	1 331 527 hab.
17	Centre-du-Québec	Drummondville	222 099 hab.

* Estimation provisoire au 22 juillet 2002.

Source : Institut de la statistique du Québec, Direction de la méthodologie, de la démographie et des enquêtes spéciales, Gouvernement du Québec, 2002.

Les principales routes du Québec

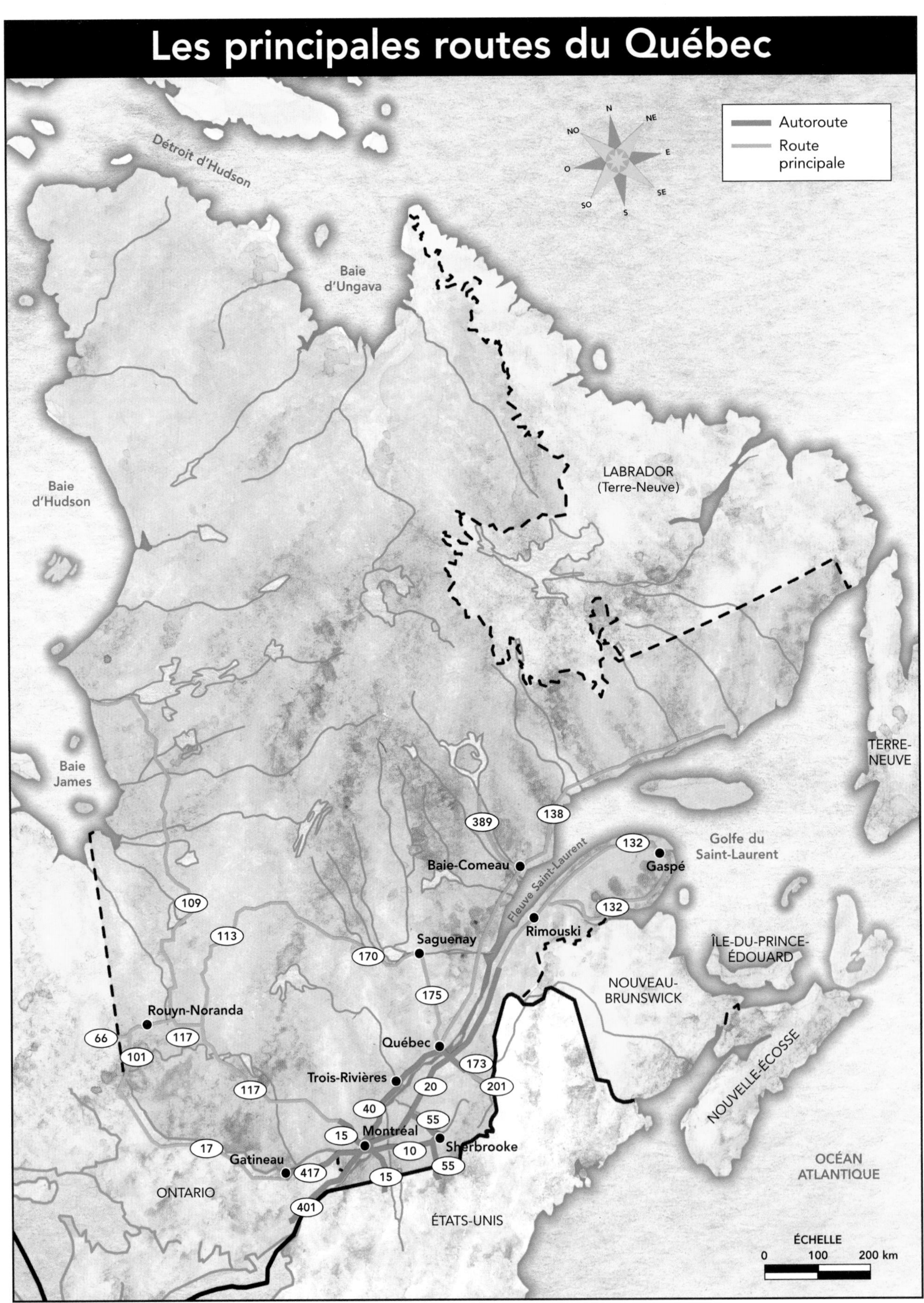

Le territoire des sociétés autochtones vers 1500*

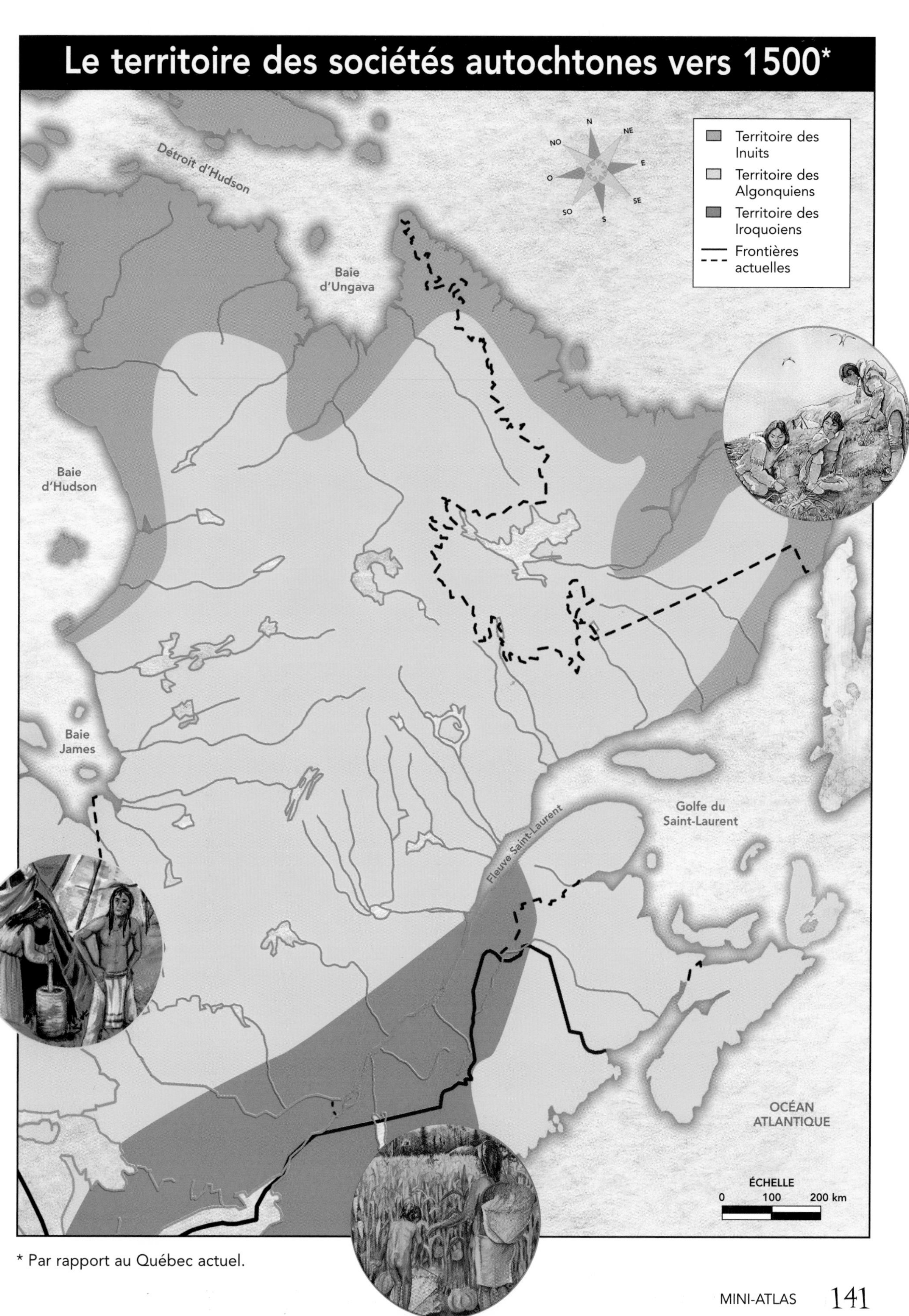

* Par rapport au Québec actuel.

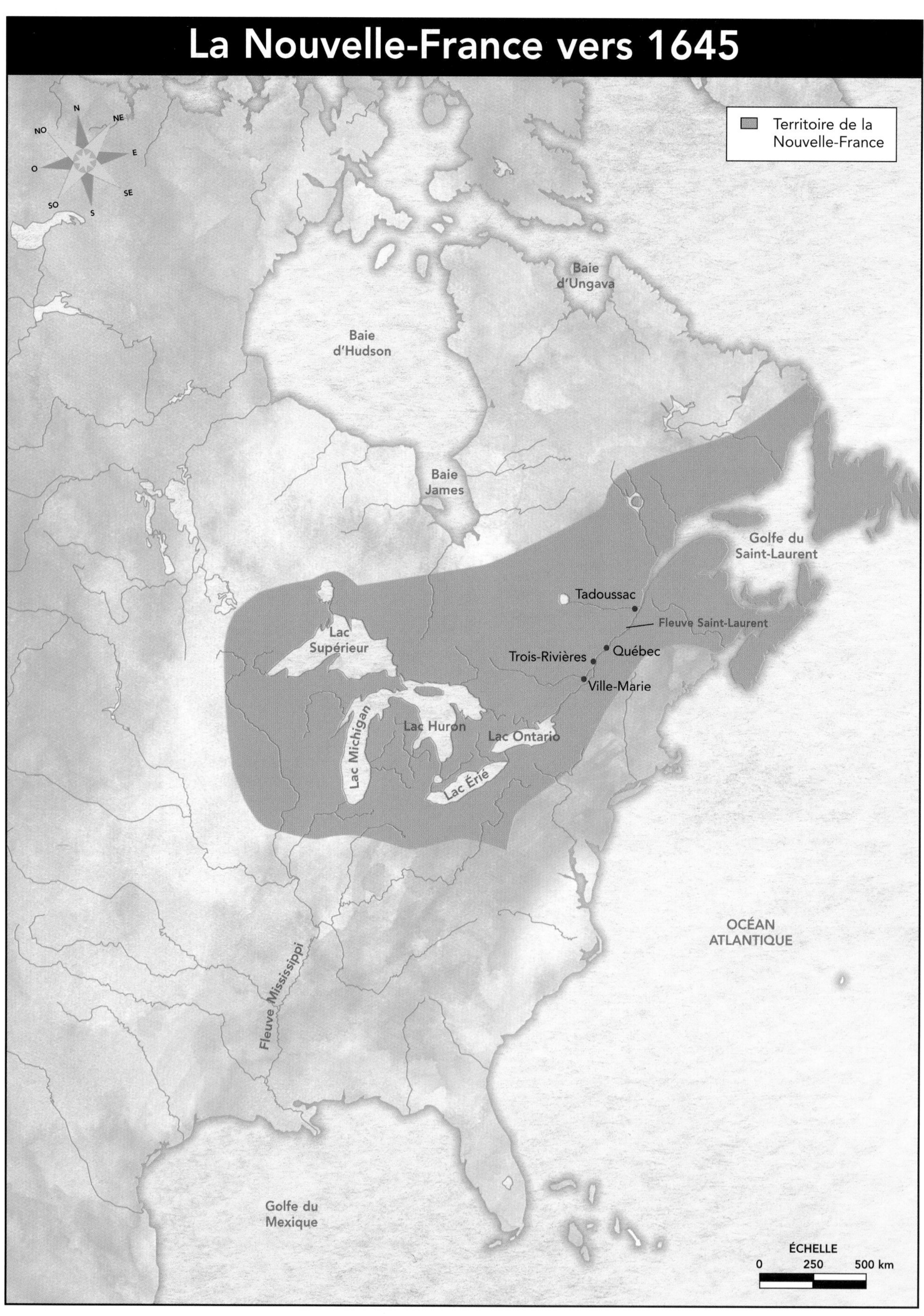
La Nouvelle-France vers 1645
Territoire de la Nouvelle-France
N
NE
E
SE
S
SO
O
NO
Baie d'Ungava
Baie d'Hudson
Baie James
Golfe du Saint-Laurent
Tadoussac
Fleuve Saint-Laurent
Québec
Trois-Rivières
Ville-Marie
Lac Supérieur
Lac Michigan
Lac Huron
Lac Ontario
Lac Érié
OCÉAN ATLANTIQUE
Fleuve Mississippi
Golfe du Mexique
ÉCHELLE
0
250
500 km

La Nouvelle-France et les Treize colonies vers 1745

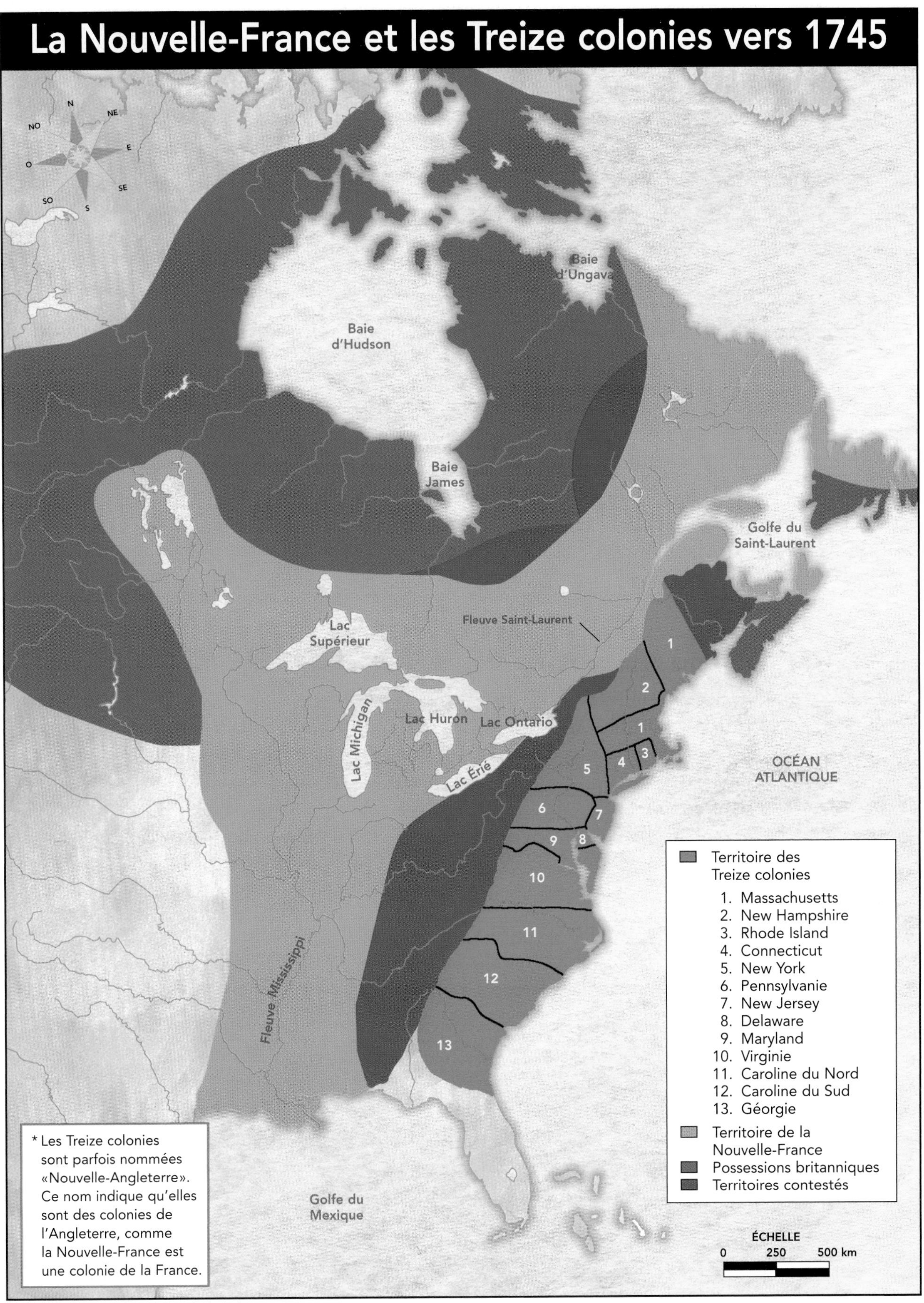

* Les Treize colonies sont parfois nommées «Nouvelle-Angleterre». Ce nom indique qu'elles sont des colonies de l'Angleterre, comme la Nouvelle-France est une colonie de la France.

REPRÉSENTATION DU TEMPS : LA LIGNE DU TEMPS

Pour comprendre la ligne du temps

Qu'est-ce qu'une ligne du temps ?

Pour bien comprendre les événements, tu peux les situer sur une ligne du temps. Une ligne du temps permet de classer les événements du plus ancien au plus récent.

Comment construire une ligne du temps ?

1. Choisis les événements à noter sur la ligne du temps.

- Fondation de ma localité
- Développement de mon quartier
- Fusion de ma localité à la localité voisine

2. Trace une ligne droite et détermine l'année qui constitue le point de départ. Écris-la à l'extrémité gauche de la ligne. Ajoute la pointe d'une flèche à l'extrémité droite de la ligne.

3. Partage la ligne du temps en sections égales. Détermine la valeur de chaque section et note les années.

4. Inscris les événements que tu as choisis au-dessus des dates correspondantes. Relie-les à la ligne du temps.

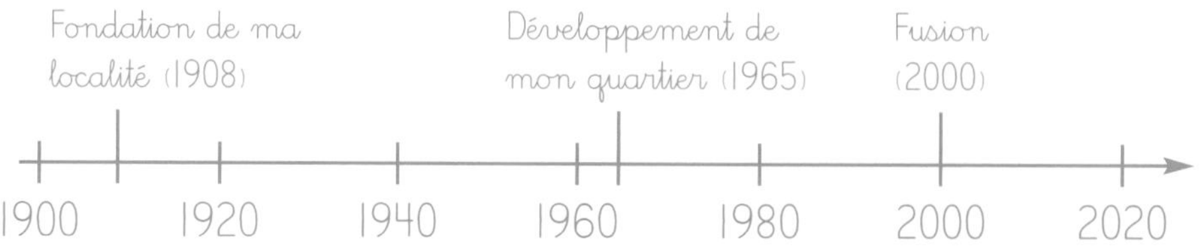

Comment lire une ligne du temps ?

1. Repère les deux extrémités de la ligne du temps. Remarque bien l'année inscrite là où la ligne du temps commence et l'année où elle se termine.

2. Calcule la valeur de chaque section.

3. Reconnais l'ordre des événements sur la ligne du temps.

4. Prête attention aux événements et aux dates auxquelles ils sont reliés.

QU'EST-CE QU'UN SIÈCLE ?

Un siècle est une période de 100 ans.

- Le 1er siècle correspond aux années passées entre la naissance de Jésus-Christ et l'an 100;
- le 2e siècle : entre l'an 101 et l'an 200;
- le 3e siècle : entre l'an 201 et l'an 300;
- le 20e siècle : entre l'an 1901 et l'an 2000;
- le 21e siècle : entre l'an 2001 et l'an 2100.

La ligne du temps de 1500 à 1750

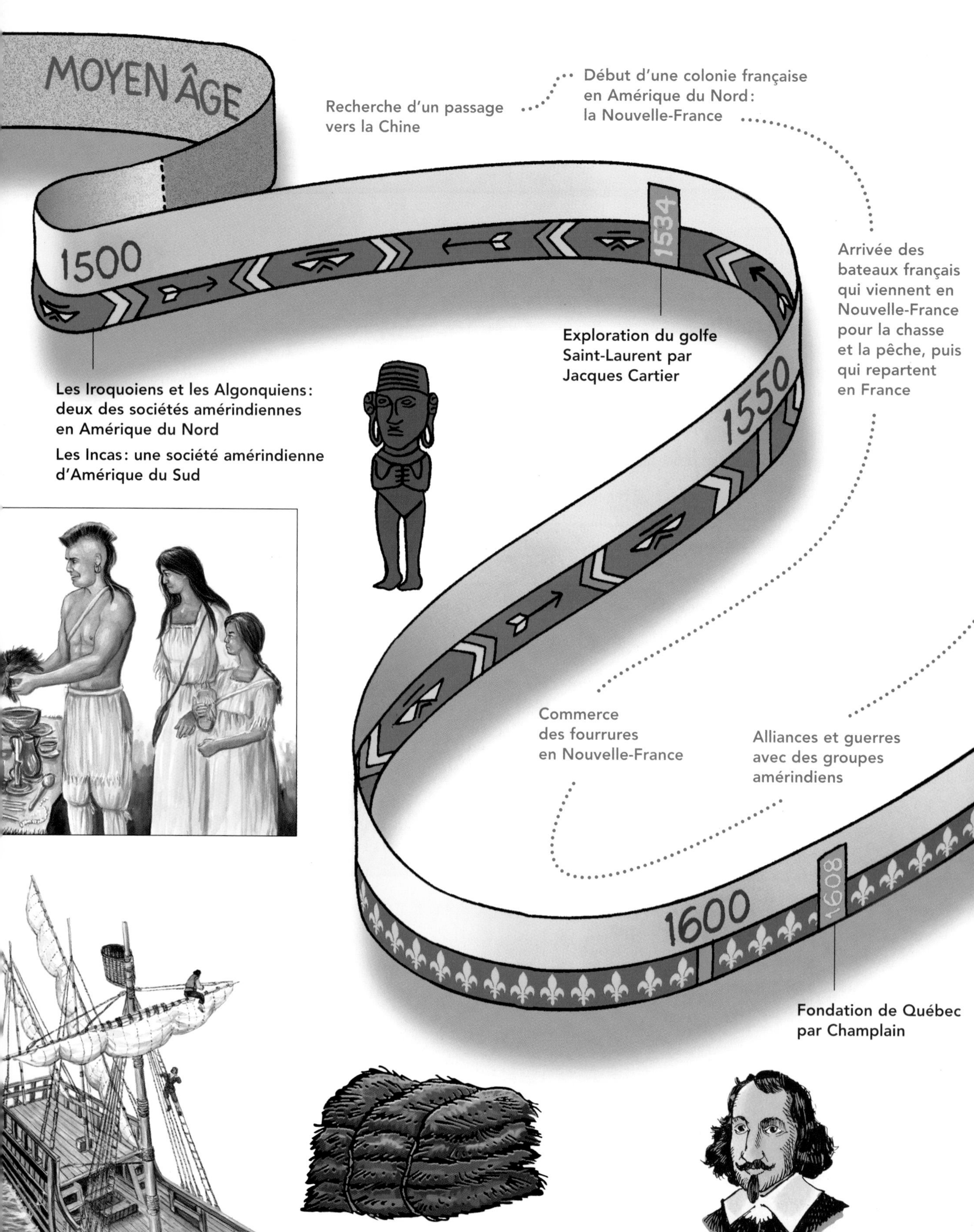

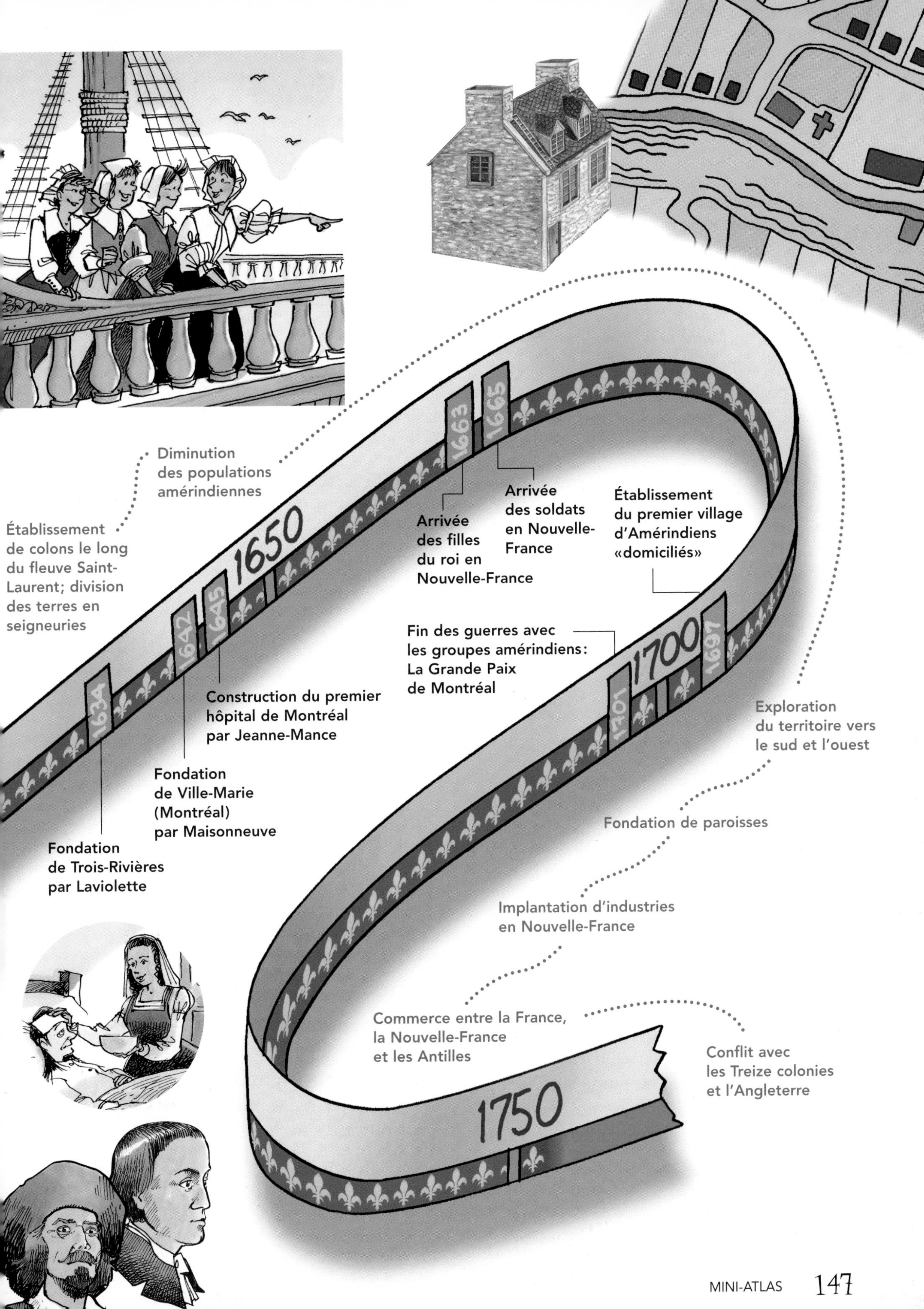
1634
1642
1645
1650
1663
1665
1697
1700
1701
1750
Diminution des populations amérindiennes
Établissement de colons le long du fleuve Saint-Laurent; division des terres en seigneuries
Arrivée des filles du roi en Nouvelle-France
Arrivée des soldats en Nouvelle-France
Établissement du premier village d'Amérindiens «domiciliés»
Fin des guerres avec les groupes amérindiens: La Grande Paix de Montréal
Construction du premier hôpital de Montréal par Jeanne-Mance
Fondation de Ville-Marie (Montréal) par Maisonneuve
Fondation de Trois-Rivières par Laviolette
Exploration du territoire vers le sud et l'ouest
Fondation de paroisses
Implantation d'industries en Nouvelle-France
Commerce entre la France, la Nouvelle-France et les Antilles
Conflit avec les Treize colonies et l'Angleterre

GLOSSAIRE

Affluent
Cours d'eau qui se jette dans un autre.

Arrondissement PAGE 7
Partie d'une ville ayant des pouvoirs moins nombreux que ceux de la ville elle-même.

Autochtone PAGE 52
Première personne qui habite une région ou un pays. Les Amérindiens et les Inuits sont les autochtones du Québec.

Baie
Partie de la côte où la mer rentre dans la terre.

Bien PAGE 46
Chose créée par le travail et que l'on peut posséder (livres, automobiles, vêtements, meubles, etc.).

Bois d'œuvre PAGE 129
Bois destiné à être travaillé, scié, déroulé ou tranché et qui sert à faire des constructions diverses.

Capitale PAGE 46
Ville où se trouve le gouvernement d'une province, d'un territoire ou d'un pays. La ville de Québec est la capitale de la province de Québec.

Carrière PAGE 12
Endroit où on creuse pour chercher divers matériaux de construction (sable, pierre, etc.).

Centrale hydroélectrique PAGE 13
Usine qui produit de l'électricité. Une centrale hydroélectrique utilise la force de l'eau des rivières et des fleuves pour produire de l'électricité.

Chaîne de montagnes PAGE 135
Suite de montagnes rattachées entre elles.

Climat PAGE 62
Ensemble des conditions météorologiques d'un endroit donné. Pour décrire le climat, on parle des températures de l'air, des précipitations, de la direction et de la force des vents, etc.

Colline PAGE 134
Petite élévation de terrain au sommet arrondi et aux pentes douces et souvent boisées.

Colon PAGE 64
Personne qui va peupler ou exploiter une colonie. En Nouvelle-France, les premiers colons étaient des Français venus par bateau.

Colonie PAGE 62
Territoire occupé et administré par un pays étranger. La Nouvelle-France était une colonie de la France.

Commerce PAGE 7
Achat et vente de marchandises.

Confluent
Endroit où deux cours d'eau se rencontrent.

Conifère PAGE 39
Arbre qui porte des aiguilles, qui produit de la résine et dont les fruits sont en forme de cônes. Le sapin, le pin et l'épinette sont des exemples de conifères.

Continent PAGE 33
Vaste étendue de terre limitée par un ou plusieurs océans. On reconnaît habituellement six continents ou parties du monde : Afrique, Amérique, Antarctique, Asie, Europe et Océanie.

Culture PAGE 40
Fait de travailler la terre et de faire pousser des plantes (céréales, fruits, légumes, arbres, etc.).

Débit PAGE 66
Dans un cours d'eau, le débit est la quantité d'eau écoulée dans un temps donné. En un lieu, plus il coule d'eau pendant un certain temps, plus le débit est fort.

Échelle PAGE 18
L'échelle d'une carte indique le rapport entre la longueur d'un trait sur la carte et la distance réelle sur le terrain.

Équateur PAGE 119
Grand cercle imaginaire entourant le globe terrestre et situé à égale distance des deux pôles. L'équateur sépare la Terre en deux hémisphères.

Étang PAGE 133
Petit lac peu profond.

Exploitation PAGE 13
Travail effectué pour mettre en valeur quelque chose. Par exemple, les cultivateurs travaillent à l'exploitation de leur terre.

Faune
Ensemble des animaux qui vivent dans une région donnée.

Feuillu PAGE 113
Arbre ayant des feuilles qui tombent en hiver et repoussent au printemps. L'érable, le chêne et le bouleau sont des exemples de feuillus.

Fleuve PAGE 72
Cours d'eau important qui se jette dans la mer ou l'océan.

Flore
Ensemble des arbres et des plantes qui vivent dans une région donnée.

Forêt boréale PAGE 129
Forêt composée de conifères et de quelques feuillus (bouleaux et trembles), qui poussent sous un climat froid et neigeux.

Forêt mixte PAGE 129
Forêt où se mélangent des feuillus (érables, hêtres, noyers, bouleaux, ormes, peupliers, chênes, etc.) et des conifères (sapins, épinettes, pins, thuyas, etc.).

Golfe
Vaste bassin ouvert formé par la mer. Le golfe du Saint-Laurent en est un bel exemple.

Gouvernement PAGE 83
Ensemble des personnes qui dirigent un pays ou une province. Au Québec, le gouvernement est composé du premier ministre, des ministres et des députés.

Habitation multifamiliale PAGE 7
Habitation qui sert à plusieurs familles. Les maisons jumelées, les duplex, les triplex et les tours d'habitation sont des exemples de maisons multifamiliales.

Habitation unifamiliale PAGE 8
Habitation qui peut servir à une seule famille. On peut aussi dire «maison unifamiliale» ou «maison individuelle».

Haut-de-chausses PAGE 114
Culotte qui descend jusqu'aux genoux. Ce vêtement porté par les hommes est fait de solides étoffes de laine, parfois doublées.

Hémisphère PAGE 124
Chacune des moitiés du globe terrestre située de part et d'autre de l'équateur (hémisphères Nord et Sud) ou du méridien de Greenwich (hémisphères Est et Ouest).

Hydrographie
Ensemble des ruisseaux, étangs, lacs, rivières, fleuves, mers et océans d'un territoire.

Industrie PAGE 12
Ensemble des activités où on transforme des ressources naturelles pour produire des choses ou des biens. Par exemple, l'industrie alimentaire regroupe l'ensemble des usines qui fabriquent des aliments.

Infertile PAGE 129
Qui ne favorise pas la croissance des plantes et des arbres.

Lac PAGE 12
Étendue d'eau douce (non salée) à l'intérieur des terres.

Latitude PAGE 119
Position d'un lieu par rapport à l'équateur. Plus on s'éloigne de l'équateur et on se rapproche des pôles, plus la latitude augmente. La latitude se compte en degrés.

Longitude PAGE 119
Position d'un lieu par rapport au méridien de Greenwich. Plus on s'éloigne de ce méridien, plus la longitude augmente. La longitude se compte en degrés.

Mer
Grande étendue d'eau salée, plus petite qu'un océan.

Méridien PAGE 119
Demi-cercle imaginaire qui va du pôle Nord au pôle Sud.

Méridien de Greenwich PAGE 119
Demi-cercle imaginaire qui va du pôle Nord au pôle Sud en passant par la ville de Greenwich, en Angleterre. On l'appelle aussi le «méridien d'origine».

Métropole
Première ville en importance d'un pays, d'une province ou d'une région à cause de sa population et de ses activités économiques. Montréal est la métropole du Québec.

Métropole régionale PAGE 139
Au Québec, c'est la ville la plus importante d'une région administrative. Par exemple, Sherbrooke est la métropole régionale de la région de l'Estrie.

Missionnaire PAGE 75
Personne qui cherche à faire connaître sa religion. En Nouvelle-France, il y avait de nombreux missionnaires catholiques.

Mode de vie PAGE 105
Manière ou façon de vivre des gens à une époque ou à un moment donné.

Montagne PAGE 29
Grande élévation de terrain aux pentes très inclinées.

Nomade PAGE 34
Se dit d'une population qui n'a pas d'habitation fixe. Vers 1500, les Algonquiens étaient nomades. Ils déplaçaient leurs habitations d'une saison à l'autre.

Océan PAGE 58
Vaste étendue d'eau salée. Sur la Terre, il y a quatre océans : Arctique, Atlantique, Indien et Pacifique.

Origine ethnique PAGE 25
L'origine ethnique est liée au groupe ethnique auquel appartiennent les ancêtres d'une personne. Les Québécois sont d'origine française, britannique, amérindienne, chinoise, italienne, etc.

Parallèle PAGE 119
Cercle imaginaire de la Terre parallèle à l'équateur.

Pêche commerciale PAGE 133
Action de prendre du poisson en grande quantité dans le but de le vendre.

Plaine PAGE 134
Vaste étendue de terrain plat ou légèrement ondulé.

Plateau PAGE 134
Vaste étendue de terrain plutôt plat qui est plus élevée que les environs.

Pôle PAGE 118
Point du globe terrestre considéré comme l'extrémité de l'axe de rotation de la Terre. Il existe un pôle Nord et un pôle Sud.

Poste de traite PAGE 73
Lieu où on fait du commerce des fourrures. À sa fondation, Québec était avant tout un poste de traite.

Pourpoint PAGE 114
Courte veste portée par les hommes qui va du cou jusqu'à la ceinture. Elle est ornée de petites bandes de tissu.

Produit PAGE 11
Bien ou objet fabriqué par un travail.

Rapide PAGE 35
Partie d'un cours d'eau où le courant est fort et où il se forme des tourbillons.

Région administrative PAGE 138
Partie du Québec. Le Québec compte 17 régions administratives. Dans chacune, on trouve des bureaux du gouvernement où des services sont offerts à la population.

Région naturelle (ou région physiographique) PAGE 137
Portion de territoire dont les traits physiques, en particulier le relief, se ressemblent. Le Québec comprend trois régions physiographiques: les Appalaches, les Basses-terres du Saint-Laurent et le Bouclier canadien.

Relief PAGE 34
Forme d'un terrain qui comporte des creux et des bosses. La plaine, le plateau et la colline sont des exemples de relief.

Réseau routier
Ensemble des routes d'un pays, d'une province ou d'une région.

Rivière PAGE 10
Cours d'eau de moyenne importance formé par la rencontre de plusieurs ruisseaux.

Ruisseau PAGE 56
Petit cours d'eau.

Sédentaire PAGE 42
Se dit d'une population qui a une habitation fixe. Vers 1500, les Iroquoiens étaient sédentaires. Ils cultivaient la terre et avaient un domicile fixe.

Seigneurie PAGE 87
Au temps de la Nouvelle-France, terre donnée par le roi de France à un seigneur. Ce propriétaire louait, en quelque sorte, des morceaux de terre à des habitants qui s'y installaient, cultivaient et défrichaient le sol. Une seigneurie regroupait plusieurs bandes de terre étroites et habituellement perpendiculaires à un cours d'eau.

Service PAGE 7
Ensemble des activités économiques (service de transport, service de santé, etc.), des emplois (enseignants, vendeurs, etc.) ou des habiletés (garder des enfants, etc.) qui permettent de répondre à un besoin.

Société PAGE 34
Ensemble de personnes qui occupe un espace à un moment donné. Ces personnes transforment cet espace pour répondre à leurs besoins.

Taïga PAGE 129
Forêt clairsemée des régions très froides composée de petits arbres (conifères, bouleaux et trembles).

Température PAGE 33
Degré de chaleur ou de froid.

Territoire PAGE 14
Étendue de terre sur laquelle vit un groupe de personnes. Un territoire peut correspondre à une région, à une province, à une municipalité ou à un pays.

Toundra PAGE 129
Zone de végétation qui est sans arbres et qui comprend des arbustes, des mousses, des lichens, des herbes et des petites fleurs sauvages. La toundra se trouve généralement dans des régions très froides.

Vallée PAGE 15
Étendue de terrain plus ou moins vaste creusée par un cours d'eau.

Végétation
Ensemble des plantes et des arbres qui poussent dans un lieu donné.

Voie de communication PAGE 84
Ensemble des routes, des chemins de fer et des voies maritimes ou aériennes d'un territoire donné.

RÉPONSES

PAGE 9

Où vis-tu ?

Connais-tu des gentilés ?

a) 4; **b)** 8; **c)** 11; **d)** 14; **e)** 10; **f)** 1; **g)** 13; **h)** 12; **i)** 5; **j)** 3; **k)** 7; **l)** 2; **m)** 9; **n)** 6

PAGE 76

Qui fait quoi en Nouvelle-France?

a) 10; **b)** 6; **c)** 14; **d)** 7; **e)** 17; **f)** 16; **g)** 5; **h)** 12; **i)** 4; **j)** 18; **k)** 1; **l)** 8; **m)** 13; **n)** 3; **o)** 9; **p)** 15; **q)** 2; **r)** 11

PAGE 108

Auriez-vous vécu en Nouvelle-France?

Analyse des résultats

- **Vous avez plus de 9 *a*.**
  Côté rôles, vous auriez eu l'embarras du choix ! La Nouvelle-France aurait été fière de pouvoir compter sur des personnes aux multiples talents comme vous.
- **Vous avez entre 5 et 9 *a*.**
  Vous auriez certainement aidé au développement de la colonie… Mais vous auriez probablement eu besoin de conseils !
- **Vous avez moins de 5 *a*.**
  Nul doute que vous auriez joué un rôle en Nouvelle-France. Tout semble indiquer cependant que vous préférez vivre à l'époque actuelle. Un petit saut dans le futur, peut-être… ?